Pensar bem nos faz bem!

Dados Internacionais de Catalogação na Publicação (CIP)
(Câmara Brasileira do Livro, SP, Brasil)

Cortella, Mario Sergio
 Pensar bem nos faz bem! : 2. família, carreira, convivência e ética / Mario Sergio Cortella. 4. ed. – Petrópolis, RJ : Vozes, 2015.

 10ª reimpressão, 2022.

 ISBN 978-85-326-4654-5

 1. Carreira profissional 2. Convivência 3. Ética 4. Família I. Título

13-08472 CDD-100

Índices para catálogo sistemático:

1. Filosofia   100

MARIO SERGIO CORTELLA

Pensar bem nos faz bem!

Pequenas reflexões sobre grandes temas

2

família
carreira
convivência
ética

© 2013, Editora Vozes Ltda.
Rua Frei Luís, 100
25689-900 Petrópolis, RJ
www.vozes.com.br
Brasil

CONSELHO EDITORIAL

Diretor
Gilberto Gonçalves Garcia

Editores
Aline dos Santos Carneiro
Edrian Josué Pasini
Marilac Loraine Oleniki
Welder Lancieri Marchini

Conselheiros
Francisco Morás
Ludovico Garmus
Teobaldo Heidemann
Volney J. Berkenbrock

Secretário executivo
Leonardo A.R.T. dos Santos

Concepção e Organização: Janete Leão Ferraz
Editor para autor: Paulo Jebaili
Apoio Editorial: Thiago de Christo e Vivi Rowe

Todos os direitos reservados. Nenhuma parte desta obra poderá ser reproduzida ou transmitida por qualquer forma e/ou quaisquer meios (eletrônico ou mecânico, incluindo fotocópia e gravação) ou arquivada em qualquer sistema ou banco de dados sem permissão escrita da editora.

Diagramação: Victor Mauricio Bello
Capa: Lilian Queiroz/2 estúdio gráfico e Editora Vozes
Foto de capa: Jairo Goldflus

ISBN 978-85-326-4654-5

Este livro foi composto e impresso pela Editora Vozes Ltda.

Os textos do livro foram compilados e adaptados a partir dos comentários do autor na coluna *Academia CBN*, apresentados em rede nacional, de segunda a sexta-feira, às 6h32, de maio de 2012 a abril de 2013. As reflexões não seguem necessariamente a ordem em que foram ao ar pela Rádio CBN e, embora organizadas pelos temas *Família, Carreira, Convivência e Ética*, não foram agrupadas em bloco em torno de cada um destes, de modo a preservar essa característica que a coluna tem no cotidiano.

Sumário

Carreira e família, 13

Jeitinho brasileiro, 14

Ética irrigada, 15

O novo, 16

Dirigir, 17

Inversão do calar, 18

Competência, 19

Generosidade mental, 20

Necessidade de formação, 21

A luta pela vida, 22

Ambição, 23

Conhecer pessoas, 24

Pressa no resultado, 25

Fidelidade, 26

Escrúpulo, 27

Alienação, 28

Alegria cívica, 29

Nós e eles, 30

Autenticidade, 31

Zelo, 32

O artificial como referência, 33

Débito paternal, 34

Virtude, 35

A coisa pública, 36

Mágoa, 37

Adulação, 38

Vingança, 39

Tempo, 40

Reconhecimento, 41

Carreira dos filhos, 42

Chatice, 43

Censura, 44

Voltar para casa, 45

O chefe, 46

Consolação, 47

Choro, 48

Calúnia, 49

Caráter e casca de banana, 50

Norte x Sul, 51

Cautela, 52

Flexibilidade, 53

Pátria, 54

Ímpeto, 55

Contentamento coletivo, 56

Autocomplacência, 57

Transparência, 58

Oriente no Ocidente, 59

Trabalho sem fim, 60

Opinião, 61

Ética e família, 62

Mentira, 63

Fingimento, 64

Ética conveniente, 65

Franqueza, 66

Ira, 67

Relativismo moral, 68

Tempo como dinheiro, 69

Dissimulação, 70

Utopia a realizar, 71

Egocentrismo, 72

Fertilidade, 73

Fatalidade, 74

Invisibilização, 75

Decepção, 76

Neutralidade ética, 77

Senso de dever, 78

Benevolência, 79

Notícia, 80

Paixão, 81

Multidão em um, 82

Acaso ao nascer, 83

Mexerico, 84

Cantar como catarse, 85

Responsabilidade, 86

Compaixão, 87

Folia, 88

Desalento, 89

Dever e autenticidade, 90

Realização de desejos, 91

Gente inconveniente, 92

Tempo encurtado, 93

Vida laboral, 94

Sucesso, 95

Posteridade, 96

Hino Nacional, 97

Desforra, 98

Persistência, 99

Governos, 100

Oposição, 101

Falar bastante, 102

Engrandecimento, 103

Ocasião, 104

Fama, 105

Guerra, 106

Tirar a gravata, 107

Arrogância, 108

Soçobrar, 109

Omissão, 110

Saudade, 111

Laborlatria, 112

Destino, 113

Adiamento, 114

Iniciativa, 115

Paciência, 116

Cansaço e estresse, 117

Crítica, 118

Ausência de inimigos, 119

Memória seletiva, 120

Uso do tempo, 121

Hierarquia e brincadeira, 122

Mau caráter, 123

Tédio, 124

Mandar, 125

Modéstia, 126

Tempos de avareza, 127

Vida útil, 128

Vida corrida, 129

Bom-senso, 130

África mestra, 131

Odisseia, 132

Elogio e desaprovação, 133

Dificuldade de percepção, 134

Fartura, 135

Importância da fraternidade, 136

Exagero, 137

Sonho, 138

Obsessão pela máquina, 139

Finitude, 140

Boas expectativas, 141

Carreira e Família

Dá trabalho conciliar essas duas esferas. Estamos na busca de caminhos na tentativa de dedicar um tempo com qualidade à família, em meio a todas as exigências que a profissão nos apresenta.

O filósofo Nietzsche, que nunca se casou, dizia que parte da grande obra que produziu – ele mesmo achava que era uma grande obra – se deveu ao fato de ele não ter esposa e filhos. Essa é também uma escolha muito complicada, porque supor-se numa dedicação intensa, como se fora uma espécie de celibato, obrigatório só para poder ter uma posse da ciência, ou de objetos ou da própria empresa, fica um pouco cruel, parece um impasse.

Alguns filósofos, entre eles Francis Bacon, criador do método científico moderno, no século XVII, escreveu sobre a importância da vida solteira. Ele dizia que "quem tem mulher e filhos deu reféns ao destino, pois eles constituem obstáculo a grandes empreendimentos, tanto virtuosos como pervertidos".

Esse é um limite muito grande que as pessoas se colocam (ou minha carreira ou minha família!).

Não é questão de exclusão, é preciso procurar e construir uma harmonia nessa relação em qualquer área, porque nós não somos obrigados a fazer uma escolha que acabe expurgando uma das várias coisas que são boas na vida.

Jeitinho brasileiro

O jeitinho brasileiro gera orgulho em algumas pessoas e eventualmente também nos faz ser conhecidos fora do país pela criatividade. Em universidades europeias, estudantes brasileiros foram reconhecidos em algumas situações pela criatividade e velocidade nas soluções apresentadas.

O jeitinho é a nossa capacidade de ter jogo de cintura, de não ficarmos amarrados dentro de uma situação. Aliás, a ideia de jeitinho se aproxima muito mais da expressão francesa *savoir-faire*, o saber-fazer, mais no sentido de molejo de cintura, do que, de fato, da mesma expressão em inglês, que é *know-how*. Embora as duas tenham o mesmo sentido, a ideia de *savoir-faire* dá certa malemolência, certo modo de driblar. Mas, por outro lado, essa ideia de jeitinho nem sempre é sinal de inteligência. Em muitos momentos, é um atalho arriscado, porque esse modo de driblar a norma raramente é indicador de flexibilidade.

Também pode ser um sinal de pouca aderência às regras de convivência coletiva. Colar é um atalho em relação a estudar; furtar é um atalho em relação a ter que trabalhar para obter o mesmo recurso; fingir, em vez de assumir, é um atalho, mas não é correto.

Então, entender nosso jeitinho como flexibilidade vale muito, agora, olhá-lo como uma forma de driblar aquilo que consiste na convivência, é ruim.

Ética irrigada

O General Eurico Gaspar Dutra dizia que a democracia era uma plantinha frágil, que precisava ser regada diariamente. Pois bem, fazendo uma adaptação, a ética também o é. Ela é uma planta frágil que temos de regar diariamente, para não deixá-la perder vitalidade, perder a capacidade de ir adiante, perder fertilidade. A palavra "ética", no grego arcaico, significa "a morada do humano", o lugar onde nós vivemos. A noção de *ethos* significa o lugar onde nós vivemos juntos e com outros e outras partilhamos essa vida. Assim sendo, é preciso que tenhamos modos, princípios, valores de conduta para que essa convivência preserve a integridade. Seja uma família, uma empresa, uma sociedade, seja um país inteiro.

Revisitar o tema da ética não é fazê-lo até que as pessoas se cansem, mas até que se convençam da importância de não deixar nossa casa apodrecer e se deteriorar. Essa casa, em que nos abrigamos, nos marca e nos dá identidade. Afinal, nós somos o que fazemos, não o que pensamos de nós.

E se somos o que fazemos, do ponto de vista ético, como estamos fazendo?

O novo

O lugar do novo, a ideia do inédito, aquilo que está grávido, e a palavra é essa mesmo: grávido, impregnado. Um italiano ao ler esta palavra em português, impregnado, leria emprenhado, isto é, engravidado. Aquilo que é inédito está grávido do novo, aquilo que pode trazer para nós uma outra possibilidade, uma outra condição, aquilo que ainda não é. Certa forma de ânimo, de alma, de ficar animado na suposição, que amiúde é ativa, isto é, foge da mera espera de construir aquilo que ainda não é. De maneira geral, temos uma disponibilidade muito grande frente à ideia do novo, de estabelecer propósitos, de colocar metas.

Algumas pessoas vão buscá-las e outras apenas colocam as metas e se satisfazem em lembrá-las, isto é, "agora vou fazer isso, vou fazer aquilo", mas nem sempre, de fato, o fazem. Ainda assim, a noção do novo, aquilo que se reinventa, que requalifica, que recria, nos anima também com a ideia de que é possível construir algo que nos leve numa direção mais positiva, mais feliz, que nos encha de esperança.

Essa possibilidade aparece quando nós temos o inédito pela frente, aquilo que ainda não é, mas pode ser. E é claro: se ainda não é, mas pode ser, só o será se nós formos buscar.

Para buscar, precisamos ter o propósito. E o propósito exige ação, não apenas a concepção.

Dirigir

Quando se dirige uma família, uma empresa, um negócio, uma escola, uma sala de aula, isso tem relação com a direção também de um veículo ou de um carro, por conta da etimologia. Porque o antepositivo indo-europeu *reg*, de onde vem "dirigir", significa levar em linha reta, não desviar.

Não é não permitir que saia do traçado, porque isso é ser bitolado. Bitola é o nome que se dá à distância entre os trilhos do trem, por isso bitolado é aquele que não sai daquele trilho.

Dirigir não é ser bitolado, não se desviar da rota traçada. A direção de uma família, de um negócio, de uma empresa, de um sindicato exige clareza de propósitos e firmeza na direção. Firmeza não é inflexibilidade, é a capacidade de não perder o rumo nem o prumo em relação ao que se fará.

Dirigir, no âmbito da gestão, é ser capaz de chegar aonde se estabeleceu, seja no conhecimento, seja no negócio, seja na família, seja no afeto, seja no casamento.

Dirigir: não perder o rumo!

Inversão do calar

Frase antiga: "Calar é ouro, falar é prata". O sentido é que uma pessoa deveria ouvir mais do que falar. Nós estamos em tempos ruidosos, em que se deseja ficar expressando o tempo todo aquilo que se pensa, mas há uma coisa curiosa na inversão do calar. O poeta gaúcho Mario Quintana dizia: "Quando guri, tinha que me calar à mesa, só as pessoas grandes falavam. Agora, depois de adulto, tenho que ficar calado para as crianças falarem".

Esse tipo de inversão acaba levando a uma certa aceitação, em algumas famílias, do primado, da primazia, do poderio da criança sobre os adultos. Vários de nós – e sem aí trazer uma nostalgia daquilo que já foi, mas não querendo deixar lá no passado o que não deveria lá ter ficado –, vários de nós fomos educados, quando crianças, para nos calarmos quando adultos falavam.

Não que a nossa palavra devesse ser proibida, mas era uma questão de atenção, porque criança deseja ser o centro em vários momentos, e aí, como lembrou Quintana, agora adultos têm que se calar para as crianças poderem falar. Há um desequilíbrio que precisa ser repensado.

Crianças estão em processo de formação e, nessa educação, é necessário que se insira, com muita precisão, o momento adequado de a criança ficar quieta, e também o de falar. Nessa relação, o mundo adulto precisa ser exemplar e especial.

Não dá para inverter.

Competência

Competência não é um estado imóvel, completo, definitivo. Competência é como um movimento de gerúndio. Não somos competentes, estamos sendo. Formamos nossa competência no dia a dia. Uma empresa, uma pessoa ou um grupo não são já qualificados, mas qualificantes – estão sempre em processo dinâmico.

Há algumas décadas, quando se perguntava a alguém sobre sua qualificação, a pessoa dizia: "Sei fazer isso, isso e isso". Hoje, dada a multiplicidade de formas de trabalho e de produção, o horizonte de qualificações aumentou. Portanto, eu não sou mais alguém que, ao me formar, já fiquei pronto. Ao contrário, eu me formo numa determinada base, mas a velocidade de substituição dessa mesma base é tamanha, que eu preciso ser permeável, estar aberto aos novos aprendizados em quaisquer das áreas em que atuo.

A competência não é um infinitivo, que já está fechado, concluído. Ela é um gerúndio, um processo de formação. Nós nos tornamos competentes e incompetentes no dia a dia. Há uma precariedade maior e um prazo de validade menor para aquilo que sabemos, tendo em vista a substituição veloz de alguns dos mecanismos da nossa capacidade produtiva, das atividades no emprego, das estruturas do fazer.

Isso significa que há uma efervescência muito grande dentro da nossa competência.

Generosidade mental

Em vários momentos, nossa sociedade caminha em direção ao egoísmo mental. Isto é, aquele que algo possui, seja intelectualmente, seja como propriedade, guarda para ele, não quer passar adiante. O que é um sinal de tolice. Afinal de contas, uma das regras fundamentais na história da humanidade foi a cooperação. Nós estruturamos, nos últimos 400 anos, uma sociedade com uma ideologia extremamente competitiva. Não que a competitividade não deva ter o seu lugar, mas ela não pode se sobrepor à colaboração como a principal maneira de sobrevivência da humanidade.

A colaboração, a capacidade de cooperar, de atuar junto, sempre foi decisiva na trajetória da espécie humana para que nós pudéssemos sobreviver, ainda mais uma espécie como a nossa, que é fraca do ponto de vista físico. Nós não corremos tanto, não ficamos tantos dias sem comer, temos que beber água com frequência, não temos um corpo que nos proteja das intempéries. Ou nós cooperávamos na nossa trajetória evolutiva ou não teríamos conseguido chegar aonde chegamos.

Portanto, a cooperação é a maneira mais direta da nossa força de vivência e a generosidade mental é aquela que nos traz para um campo muito positivo no qual quem sabe reparte, quem não sabe procura.

Necessidade de formação

Um dos argumentos que ouvimos com frequência por parte de alguns jovens é: "Ah, eu não preciso terminar uma faculdade", "Não preciso de uma formação completa", "Para eu ter uma carreira, basta ter uma especialidade". E, curiosamente, usam como exemplo Bill Gates, alguém muito importante na história da tecnologia, da inventividade no mundo. É comum em debates sobre necessidade de formação alguém dizer: "Mas o Bill Gates abandonou a faculdade. Ele vem fazendo história. É um dos homens mais ricos do mundo, sem ter feito uma faculdade".

É preciso lembrar dois aspectos importantes. O primeiro é que Bill Gates deixou a Universidade de Harvard no terceiro ano, onde ele fazia cursos de Direito e de Matemática.

Deixar Harvard, que é a melhor universidade do mundo, no terceiro ano, é bem diferente de deixar qualquer escola até completá-la. Isso significa que um ano em Harvard equivale a 30 anos em algumas Uni-esquinas que temos aqui no Brasil ou pelo mundo afora. Segundo aspecto: Bill Gates fez o SAT (uma espécie de Enem norte-americano, respeitadas as diferenças) e, dos 1.600 pontos possíveis, ele fez 1.590.

Portanto, ele era uma pessoa muito preparada e, ao fazer três anos de Harvard, claro que ele completou a sua formação.

Cautela! Há, sim, necessidade de se formar.

A luta pela vida

O cientista britânico Charles Darwin publicou em 1859 sua obra clássica, que alterou em grande medida o nosso modo de pensar a ciência e a própria vida, e a organizar inclusive a religião, nos últimos dois séculos. Hoje ela é conhecida como *A origem das espécies*. Mas o nome era muito mais extenso em inglês e uma das acepções que aparecia no final do título era "A luta pela vida", *the struggle for life*.

É interessante, porque esse "a luta pela vida" só foi retirado alguns anos mais tarde, na sexta edição. Mas o que chama a atenção é que muitas vezes a ideia de luta pela vida, quando se menciona a ideia de evolução darwiniana em alguns estudos, algumas pessoas fazem referência à sobrevivência como sendo dos mais fortes. Darwin não escreveu isso. O que está nítido em sua obra é que, na luta pela vida, a sobrevivência é dos mais aptos. E há uma diferença absolutamente significativa entre ser mais forte e ser mais apto. Nem sempre o mais forte é o que vence, haja vista que, na história da natureza, os dinossauros já se extinguiram há 65 milhões de anos. Isso vale para países, para empresas, para pessoas.

A questão central é a aptidão, isto é, aquele que desenvolve habilidades, mesmo que não seja o mais forte, tem condições de persistir na carreira, na vida, no trabalho.

Portanto, sobrevivência do mais apto.

Ambição

Ambição é uma palavra que, em vários momentos, é colocada como sendo um vício. Costuma-se até confundir a pessoa ambiciosa com aquela que é gananciosa. Ou seja, a que quer tudo para ela, a qualquer custo. Uma pessoa caracterizada, até do ponto de vista psicológico, pelo egoísmo.

É muito importante que se tenha ambição na vida. Mas entendida como uma virtude e não como um vício. A ambição de querer saber mais, de conhecer mais, de querer uma carreira mais estruturada, uma formação mais completa, uma condição material mais extensa. Isso é ambição, que leva ao conhecimento, à capacidade de se fazer elevar as coisas que se tem. Nesse sentido, a ambição se diferencia da ganância, que é querer só para si, a qualquer custo. E é um custo que jamais deve ser pago, porque é eticamente apodrecido. A ambição movimenta a capacidade de buscar mais e melhor. É preciso fazer da ambição um caminho virtuoso.

O filósofo espanhol Miguel de Unamuno dizia que "quem não sente a ânsia de ser mais, não chegará a ser nada". É preciso ter um projeto, um desejo de elevar-se, de ir adiante, de crescer, não só para si, nem a qualquer custo, mas fazer com que a vida siga num patamar superior na capacidade ética, no desenvolvimento profissional, na formação do conhecimento e também na convivência.

Conhecer pessoas

Cada pessoa é um universo imenso. A clássica frase "nenhum homem é uma ilha" continua valendo. Ela faz parte de um poema bastante conhecido do britânico John Donne. Mas, de outro lado, se nenhum homem é uma ilha, cada homem e cada mulher é um mundo. Um mundo de ideias, de sonhos, de percepções, de desejos. E por mais que essa ideia pareça romântica, ela não pode ser descartada. Samuel Johnson, escritor britânico do século XVIII, considerava perdido o dia em que não conhecia uma nova pessoa. Porque conhecer uma nova pessoa significa conhecer um dos modos de ser humano, uma das maneiras de viver a história, uma das formas de se organizar a vida.

A outra pessoa me inspira a pensar de outro modo, ela pode contrapor-se a ideias que eu carregue ou afirmar pensamentos que eu adote. Desse ponto de vista, conhecer, mesmo que não signifique aprofundar essa relação, manter uma amizade – dado que amizade é algo muito mais sério – me deixa predisposto a prestar atenção em quem não é como eu, em quem não me repete, em alguém que é de fato outra pessoa. Isso me ajuda a viajar por novos modos de ser humano, a viajar por novos mundos.

Se ninguém é uma ilha, nenhum e nenhuma de nós deixamos de ser um mundo em si e, nesse sentido, para que possamos construir uma realidade mais rica, um dia em que se conhece outra pessoa é um dia que nos enriquece.

Pressa no resultado

Pressa para chegar a um ponto mais alto na carreira, pressa para atingir um cargo. Pressa para concluir uma pesquisa. Pressa para receber uma promoção. Sempre reforço a necessidade de não se confundir pressa com velocidade. Velocidade é sinal de perícia, planejamento, enquanto a pressa é sinal de descontrole ou de desorganização. Para qualquer ação a ser executada, é necessário que se consiga ler, entender, interpretar o momento e a circunstância para que não se apresse as coisas.

Winston Churchill, dirigente britânico, atuou de forma decisiva para a sobrevivência da Inglaterra durante a Segunda Guerra Mundial. Em 1942, quando o nazismo estava muito fortalecido e o mundo britânico se encontrava acossado, Churchill, durante um discurso, disse: "Pois isso não é o fim, não é sequer o começo do fim, mas talvez seja o fim do começo". Uma ideia que marca com muita grandeza a percepção de que não se pode ter pressa no resultado.

Quando começamos a entender o fim do começo, nossa ideia permite que o próximo passo seja dado com uma esperança ativa, marcada pela percepção de que o resultado desejado se aproxima sem impaciência.

Fidelidade

Ao falarmos em fidelidade, muitos se atêm apenas e tão somente à fidelidade da relação entre pessoas ou na fidelidade exclusiva a um negócio. Mas na mitologia clássica romana havia a figura de Fides, a deusa da palavra dada. Se há algo que apreciamos nas pessoas, nos governantes, nos candidatos é a ideia de palavra dada, que tem de ser verdadeira, correta. Não pode ser falsa, hipócrita, fingida.

Fides, a deusa lembrada pelos romanos no início do mês de outubro, era a protetora das pessoas no que seria o enunciado da palavra dada. Daí, "fidelidade". A ideia de alguém que enuncia uma percepção, uma expressão e aquilo corresponde à verdade. Ela não só pensa aquilo, mas também o fará. Isso é algo decisivo.

Vivemos períodos na vida em que desejamos fidelidade. Aliás, para oferecer algum presente à estátua da deusa Fides era necessário colocar uma luva branca ou um lenço branco na mão. "Branco", em latim, também é "cândido", que deu origem à palavra "candidato". Isto é, aquele que demonstra pureza de intenção, firmeza de propósito, veracidade na palavra dita e, portanto, fidelidade àquilo que anuncia, àquilo que promete.

Que a deusa Fides nos ilumine...

Escrúpulo

Escrúpulo. Palavra forte, necessária, decisiva para nós no dia a dia. Mas, cada vez que se pensa nela, nem sempre se traz à tona a origem que carrega. *Scrupulum*, em latim, é pequena pedra. Nesse sentido, a ideia de quem tem escrúpulos é de alguém que sente algum incômodo, fica embaraçado. É como se dentro do calçado ficasse uma pedrinha, o tempo todo, que vai marcando, criando uma fustigação, enquanto se caminha, algo que não nos deixa acomodar.

É interessante como muita gente ainda tem bom escrúpulo, isto é, fica incomodado com algumas coisas que estão no dia a dia, com a vida pessoal, com a vida coletiva, com aquilo que já sabe, com aquilo que não sabe, com aquilo que acontece na comunidade, no país, no planeta.

Por outro lado, algumas pessoas não têm nenhum escrúpulo, isto é, nada que as incomode. Supõem que tudo o que fizerem será normal, mesmo que seja um desvio, um atalho ilícito, uma condição de escape que tenha uma fratura ética, algo que possa trazer nojo para a vida.

O poeta Carlos Drummond de Andrade lembrava que "tinha uma pedra no meio do caminho". Essa pedra precisa ser por nós trazida à tona sempre, como sendo o escrúpulo, ou seja, capacidade de nos incomodarmos com o que não está certo e removê-lo.

Não apenas fingindo. Mas tirando de verdade, com vontade.

Alienação

"Alienação" é uma palavra que tem presença no campo financeiro. Alienação fiduciária, por exemplo, é quando fazemos um empréstimo para aquisição de um bem e não pagamos a totalidade das prestações. Ou seja, não quitamos o custo do que adquirimos, e aquilo não nos pertence ainda. Temos o uso, mas não a propriedade. Até em carro vem, vez ou outra, o certificado "alienação fiduciária para tal lugar".

Alienação significa aquilo que é alheio. Ainda não é meu. Mas há também a alienação no sentido daquele que está fora. Aquele que se coloca ausente quando não deve fazê-lo. A palavra "alienação" também tem o significado de alguém que finge não participar ou de alguém que não quer ter presença nas coisas do dia a dia, seja na família, no trabalho, na comunidade. Além disso, a palavra "alienação" carrega a ideia daquele que é estranho. *Alien* significa "o outro", no sentido de "estranho".

Durante algum tempo, a expressão "alienado" designava a pessoa que tinha uma doença mental. Não é à toa que Machado de Assis tem um longo conto de 1882 chamado *O alienista*, para falar de um hospício que existia naquela época.

Uma pessoa alienada é aquela que está fora de si, fora de sua autonomia, de sua participação na vida coletiva. Estar alienado é ficar de fora ou colocar-se de fora de propósito. Alienação é sempre um risco, pois produz perda de autonomia.

Alegria cívica

Alegria cívica é uma coisa a ser ensinada. Não se trata de ufanismo tolo, mas existe, dentro do civismo, como na vida em conjunto na sociedade, algo que tem de nos alegrar.

Nessa nossa convivência em uma democracia temos eleições e a nossa participação política, que já se dá no dia a dia, acontece de um modo especial, que é com a possibilidade de votar, escolher aqueles e aquelas que vão dirigir, em nosso nome, nossa sociedade, nossa cidade, nossas leis, nossa comunidade.

É importante para uma criança ou para um jovem entender que, adultos, somos capazes de demonstrar alegria pela possibilidade de ir votar. Há pais e mães que deseducam os jovens dizendo: "Poxa vida, domingo eu tenho de ir para a eleição, se eu não fosse obrigado..." Dão um ar amargo a um momento de júbilo, por sermos capazes de escolher os nossos destinos coletivamente.

"Poxa, tenho de sair", "Por que eu não fico em casa?", "Logo num domingo...". Reclamou, deseducou.

A criança e o jovem podem aprender com o adulto que atitude cívica é algo gerador de alegria e cidadania.

Nós e eles

Cristóvão Colombo, embora italiano, fez toda a sua atuação a partir dos reinos da Espanha. Além das viagens, esse genovês nos legou (inclusive a nós, que estamos no Brasil) o uso mais extensivo do idioma espanhol. Mesmo que não tenhamos o espanhol como língua materna, ele faz parte cada vez mais do nosso cotidiano. E uma das coisas que o idioma espanhol tem é um conceito de convivência. A primeira pessoa do plural no plural!

Por que estou dizendo isso? No português, no inglês, no francês, a primeira pessoa do plural é quase sempre no singular. Nós e eles. Nós, de um lado, e eles, do outro. Mas no espanhol, entre latinos, é que se usa a primeira pessoa do plural no plural, como quando se diz *nosotros* (vez ou outra no italiano também, com o uso de *noialtri*). A palavra *nosotros* é inclusiva. Afinal, quem são os outros de nós mesmos? O mesmo que nós somos para os outros, ou seja, outros.

Portanto, é a ideia de um "nós" inclusivo e não excludente. Um princípio que não foi de Cristóvão Colombo, mas nos ajudou a pensar. Uma das coisas que da América fluiu é a possibilidade de pensarmos *nosotros*.

Isso é bom também do ponto de vista ético.

Autenticidade

Autêntico é aquele que coincide com ele mesmo. Aquele que ensina o que sabe e pratica o que ensina. Quem não pratica o que ensina perde a autenticidade. Perde validade no modo de ação, de reflexão, de pensamento. Vez ou outra, usamos uma expressão do latim, que pareceria óbvia, mas não é, *Nemo dat quod non habet*, que significa "ninguém dá o que não tem".

O sentido da frase é mais profundo. Uma pessoa que não tem lisura, que não tem decência, que não tem honestidade como convicção interna, não pode oferecê-la. Perde autenticidade. Praticar o que se ensina, isto é, evitar dizer uma coisa e fazer outra, é uma conduta ética que queremos o tempo todo, em todos os lugares.

Autenticidade, uma pessoa verdadeira, que carrega em si a possibilidade de não ser desviante das trilhas em relação àquilo que pensa, àquilo que coloca e àquilo que age. Autenticidade é um valor ético a ser partilhado, ensinado e, acima de tudo, praticado com as crianças.

É parte do nosso aprendizado coletivo.

Zelo

Quem não gosta de gente que zela pelas nossas coisas? Será que nós mesmos zelamos pela nossa decência? Nós desejamos, por exemplo, que tenhamos governantes zelosos, que exerçam o ofício da zeladoria, que tomem conta, cuidem. Mas temos de lembrar que a palavra "zelo", originalmente, no grego, significa "ciúme", que algumas vezes encontra terreno na posse obsessiva. Ser ciumento é diferente de ser zeloso. Uma pessoa zelosa é aquela que cuida, mas não é aquela que esconde, que impede que outro se aproxime, que impede que as outras pessoas tenham a condição de partilha.

Zelar por algo é fazer com que a integridade – de uma ideia, de um objeto, de uma pessoa, de um lugar – seja preservada, mantida inteira e, portanto, não tenha rachaduras nem ameaças.

O ciúme obsessivo pode fazer com que eu aperte aquilo que é meu com tanta força para segurar, que ele acaba quebrando. Seja um afeto, seja uma conexão, seja um conhecimento.

Zelar, no sentido de ser capaz de abrigar, de proteger, de salvaguardar jamais deve ser sinônimo de obsessão.

O artificial como referência

Nós temos um mundo tão recheado de coisas que inventamos, que produzimos e construímos nos últimos tempos, que essa passa a ser a referência. Isto é, um mundo por nós feito sem que a natureza tenha presença fora do trabalho humano.

O uso mais intensivo do plástico nos últimos 50 anos e depois outras formas de produção dessa artificialidade, especialmente com os polímeros, fizeram com que conseguíssemos esse modo de pletora. As coisas à nossa volta que, por serem plásticas, serem plastificáveis, fizeram com que se moldassem algumas formas da natureza que acabam nos enganando e mudando até o nosso critério de referência. Por exemplo, não é incomum que alguém entre num ambiente e encontre ali uma planta como uma bela samambaia, com as folhas esparramadas descendo, e diga: "Nossa, que bonita! Parece de plástico". A referência passa a ser o artificial. Ou até deparar com uma criança com um rosto belo, o cabelo enroladinho, aquele modo de olhar que o bebê carrega: "Nossa, que bonita, parece uma boneca!"

Essa referência do artificial como sendo o nosso modo de encontro acaba produzindo certa distância em relação ao mundo natural. A beleza de um alimento vem da sua plasticidade, de sua aparência externa, e o mundo da propaganda e da publicidade usa isso de uma maneira extremamente inteligente, ao dar aquilo que parece perfeito um ar de natural, o que produz ilusão de ótica e de ética...

Débito paternal

Débito paternal é uma expressão estranha. Que débito é esse? Todas as vezes que pensamos na nossa trajetória na família, no nosso trabalho, no cotidiano, essa ideia do débito vem à tona para quem tem filhos. Porque alguns filhos parecem mais um encargo do que um patrimônio.

Nós sabemos o quanto, no dia a dia, a capacidade de cuidar vem ganhando complexidade. Além de tudo, há um custo financeiro que é bastante alto.

Quem lembrou isso foi Stendhal, escritor francês que ficou órfão de mãe aos 6 anos de idade; um entusiasta da Revolução Francesa, autor da obra-prima *O vermelho e o negro*, ele tem uma frase um pouco cruel: "Um filho é um credor dado pela natureza".

O débito paternal ou maternal – aliás, há muitos filhos e filhas hoje que acham que são só credores, que não têm débito algum, isto é, confundem desejos com direitos e acabam colocando, para alguns pais e mães, a ideia de serem esses pais meros financiadores, ou até devedores, do que de fato aquilo que são na organização de uma família, na qual há, sim, necessidade de partilha do trabalho, partilha de atividades, partilha da vida.

E, é claro, uma economia da família, aquilo que se chamava economia doméstica, tem que ser bem pensada; afinal de contas, pais e mães não podem ser olhados apenas como devedores.

Virtude

Quem não gosta de pessoas virtuosas? A virtude é também aprendida, não é algo que se nasça com ela, como condição genética. Existem situações da nossa natureza que, eventualmente vindas da condição químico-cerebral, levam a pessoa a ser mais calma ou mais atenta ou mais irritadiça. Mas a virtude é um valor ético, como a temperança, a capacidade do cuidado, a honestidade, a decência. Essas virtudes podem ter algo mais incômodo quando as olhamos mais de perto. A expressão "virtude" tem como seu cerne "vir", de onde vem "viril". Portanto, algo ligado ao mundo masculino. E é interessante ver como muita gente separa o que seriam as virtudes masculinas – como força, coragem, capacidade de decisão – daquilo que seriam as virtudes femininas, como se diria no passado – como recato, capacidade do carinho, cuidado. Isso hoje, para a nossa alegria, se mesclou.

Não podemos nos esquecer, porém, que, na origem – do ponto de vista ético e também do etimológico –, a noção de virtude é aquilo ligado ao mundo do masculino. Como se ser virtuoso fosse um privilégio de homens e, portanto, mulheres teriam outro tipo de percepção ou até de prática. Evidentemente, agora já temos um outro caminho.

A virtude precisa estar no cotidiano, precisa estar na prática de homens e mulheres, até deixando de lado essa origem do viril.

A coisa pública

A quem pertence a coisa pública? Quem é o proprietário de algo que é público, que, a princípio, seria de todos e todas. É claro que o proprietário daquilo que é de todos e todas são todos e todas. Embora pareça óbvio, não é incomum no nosso país – mas não para sempre – que se imagine que a coisa pública, a *res publica*, como diriam os latinos, não tenha dono.

Isso não é verdade. A coisa pública tem de ser cuidada por todas as pessoas, de todos os modos, o tempo todo. Isso significa que a coisa pública não é a coisa sem proprietário. A coisa pública é aquela que não tem um exclusivo proprietário, que não tem um único alguém que manda, comanda ou que precisa zelar, cuidar, tomar conta. Desse ponto de vista, se a coisa pública no nosso país ainda não é entendida como algo que tem um pertencimento para a comunidade, para a coletividade, vai ter, sim, no momento em que conseguirmos formar a nós mesmos, formar as novas gerações para que se entenda que a coisa pública é para nós um patrimônio, não um encargo, que a coisa pública é aquilo que pertence a todos e todas para ter os meios de vida, a fim de que possamos viver em conjunto.

Que a coisa pública não é aquilo que fica largado ou que deixamos para que "eles" tomem conta. E esse "eles" é quase sempre apontando o dedo para cima, como se estivéssemos nos referindo a uma força imaginária, abstrata ou sobrenatural. Ao contrário, a coisa pública é algo a ser cuidado, protegido, guardado e até, se necessário, por ela lutar, na medida em que isso nos engrandece na vida coletiva.

Mágoa

Quantas vezes imaginamos a mágoa como aquilo que temos direito de ter e de levar para sempre? Isso nos deixa um pouco amargos. Mágoa em relação ao que fizeram, em relação a um professor que falou algo ou que deu uma nota baixa. Mágoa em relação a alguém que nos ofendeu e isso gerou raiva. O memorialista e médico Pedro Nava, no livro *Baú de ossos*, diz: "Eu não tenho ódio, eu tenho memória".

Isto é, eu não estou odiando, mas algumas coisas não consigo esquecer. Algumas coisas eu não quero esquecer, algumas coisas não devem ser esquecidas: a ofensa que encontrou terreno para a humilhação, a capacidade de machucar alguém com violência física ou simbólica, um massacre produzido sobre uma comunidade. Não é para se ter ódio, mas é para se ter memória, que serve também para que não sejamos capazes de repetir ou de admitir que se repita aquilo que conosco fizeram.

A mágoa, quando persiste por muito tempo, é incapaz de se transformar numa memória positiva, porque fica o tempo todo marcada pela raiva.

E a literatura, como no caso de Pedro Nava, nos oferece alguns caminhos de meditação, de reflexão para fazer da memória uma grande escada.

Adulação

Quando colocamos um livro no mercado, quando fazemos um projeto e deixamos que ele seja desenvolvido pelas pessoas, quando estamos em alguma atividade de gestão pública ou privada, quando formamos filhos e filhas, enfrentamos um grande perigo, que é a adulação. E é um perigo para o adulado. Porque a pessoa que adula, a que faz um elogio exagerado, me impede de ter uma visão crítica sobre o que estou pensando. Ela faz com que haja uma redução da capacidade de correção de rota.

Como ninguém é capaz de fazer tudo certo, o tempo todo, de todos os modos, o adulador é um inimigo muito poderoso. O pensador Tácito dizia que os aduladores são o pior tipo de inimigo. Porque eles reduzem a capacidade de rever, de reinventar, de refazer.

O adulador, ao dizer que aquilo que eu fiz, escrevi, cantei, mostrei é o melhor, aquele que fica o tempo todo me bajulando, prejudica a minha capacidade de reinterpretar, de melhorar, de me elevar a um patamar superior.

Ainda que todo afago no ego seja gostoso e todo elogio quando merecido nos faça bem, é preciso distinguir o que é elogio do que é adulação, aquilo que nos deixa de olhos vendados.

Vingança

Nas nossas cidades não tem sido incomum situações de violência inacreditável – mas não o será para sempre. Ficamos imaginando como um ser humano é capaz de fazer aquilo. E aí vem desejo de vingança, de colocar em cena o famoso "olho por olho, dente por dente", a clássica Lei de Talião, que é uma expressão que vem do latim, do "tal e qual". Tal isso, tal aquilo. Talião não era um lugar, mas uma expressão latina tal e qual, *talis* (tal, igual).

O desejo de dar o troco aparece no mundo da universidade, no mundo da concorrência e em vários outros. O líder indiano Mahatma Gandhi foi uma pessoa que pensou na possibilidade de enfrentamento sem violência, de resistência pacífica – não a inação, o conformismo, mas o combate à violência sem o uso de uma violência idêntica. Ele dizia: "Olho por olho e o mundo fica cego".

Nós precisamos ter mais inteligência para enfrentarmos situações que nos levem a pensar que a única alternativa seja dar o troco.

Não. É preciso uma percepção da justiça, da punidade, que nos impeça que o absurdo que alguns cometem seja por nós reproduzido.

Tempo

"Ah, quando eu tiver um tempo mais liberado, eu vou fazer isso, vou fazer aquilo, vou viajar, vou sair, vou ao cinema." Dá a impressão de que temos todo o tempo liberado para todas as coisas e nem sempre nos lembramos de algo que o escritor alemão Goethe dizia: "É na limitação que se conhece o mestre". Isto é, limitação é a clareza em relação aos nossos territórios possíveis de caminhar. A limitação é a consciência em relação à suficiência ou não de recursos materiais, intelectuais, econômicos para se fazer algo. Algumas pessoas não fazem algo, porque imaginam que nada pode ser feito. Outras não conseguem fazer o que desejam porque acham que qualquer coisa pode ser feita.

É necessária a consciência dos limites, de que não temos, de um lado, a total disponibilidade de capacidades e, de outro, a total incapacidade para lidar com a indisponibilidade. Há dois grandes mitos quando se deseja usar um tempo, fazer um projeto, construir ou rever algum tipo de situação na vida que tem de ser deixada de lado. O primeiro deles: nada é possível. Isto é, o imobilismo pela descrença. O segundo mito perigoso: tudo é possível. Ou seja, o desconhecimento de que existem limitações para aquilo que se deseja.

Quando afastamos esses dois mitos, constrói-se a possibilidade, aquilo que, podendo ser feito, o será; não de qualquer modo, mas na condição em que se possa construir.

Reconhecimento

Quem não gosta, como estudante, como profissional, como irmão, como filho, da ideia de reconhecimento? Quem não gosta de ser lembrado, elogiado e afagado naquilo que faz? O reconhecimento é uma das formas de incentivo e quem lida com pessoas sabe o quanto isso é importante. A própria palavra "reconhecimento" significa conhecer de novo. Eu sou aquilo que faço. E quando alguém acha positivo aquilo que faço, isso me anima, me dá vitalidade, me faz crescer.

Há pessoas, porém, que acham que, se ficarem elogiando, vão enfraquecer a outra pessoa. Isto é uma tolice. O reconhecimento faz com que a pessoa se sinta bem e ganhe força. No entanto, Aristóteles, grande pensador grego do século IV a.C., tem uma frase clássica: "O reconhecimento envelhece depressa". Porque a nossa necessidade de animação, de nos conhecermos como pessoas que têm importância, que têm valor também para outras pessoas, é frequente no nosso dia a dia.

Não se pode reconhecer de maneira falsa. Não se pode apenas fingir um elogio para que a outra pessoa se sinta bem, porque isso é cinismo. Mas é preciso reconhecer de maneira contínua para que a pessoa saiba a importância que tem e, sobretudo, para que siga melhorando.

Carreira dos filhos

Se há um tema que preocupa parte das famílias no dia a dia, e que envolve a escola e a universidade, as empresas, é a carreira. Especialmente a dos jovens, que têm menos de 30 anos de idade, os nativos digitais, das hoje denominadas gerações Y e Z.

Uma novidade nos tempos atuais é que não há mais correspondência direta entre graduação e carreira. Quando eu estava na universidade, se alguém fazia Engenharia, seria engenheiro; se fizesse Direito, seria advogado, juiz ou delegado. Se alguém fazia Filosofia, como é o meu caso, ia atuar no campo da pesquisa, do ensino. Havia uma conexão quase obrigatória entre graduação e carreira. Hoje, não mais. A multiplicidade de setores faz com que surjam inúmeras formas de trabalho, mecanismos de produção e áreas do conhecimento numa mesma área. Essa condição permite que alguém se forme, por exemplo, em Administração de Empresas e atue na área hospitalar, de gastronomia ou das comunicações.

Há uma diferença, entretanto, entre ter um leque aberto em frente e, somente, estar confuso. Não me refiro à confusão de áreas, mas sim sobre elas não serem tão fechadas como em outros tempos.

Se você, um pai ou mãe, ou alguém que educa pessoas em casa, se preocupa com a carreira, com o trabalho e o emprego que seus filhos terão, vale lembrar que isso não está obrigatoriamente vinculado a uma graduação específica. É necessário ter uma graduação, mas ela é um campo de abertura e não de fechamento.

Chatice

Chato é o monótono, é aquilo que não tem profundidade, é o enfadonho. Muitos falam isso de uma segunda-feira, outros falam que é chato ter que voltar a trabalhar, outros acham chato estar em férias, o que pareceria até uma maluquice, estar descansando, mas é chato. É chata a convivência, é chato o trabalho na universidade, é chato aquilo que se tem vez ou outra dentro da família. A palavra "chato" tem a ver com a expressão *platus*, inclusive de onde vem o nome Platão.

O filósofo grego – não que ele fosse chato – tinha como nome de batismo Arístocles e, como ele tinha ombros largos, surgiu a ideia de *platus*, aquilo que é também plano. E a obra de Platão não é nada chata.

Mario Quintana, no *Caderno H*, uma de suas grandes obras do início dos anos de 1970, falava isso sobre o domingo e não sobre a segunda-feira. Ele dizia que no céu é sempre domingo, e a gente não tem outra coisa a fazer senão ouvir os chatos. Lá, segundo Quintana, seria pior que aqui, por reunir os chatos de todas as épocas do mundo.

Já imaginou que chatice imensa? Ele dizia que aqui, quando você encontra um chato, é apenas como seu contemporâneo. Agora, no céu imaginado por Quintana, em que os chatos são de todas as épocas, essa chatice se redobra. Seria chato demais!

Censura

Nós temos liberdade e possibilidade de exposição de coisas. Ainda bem! Mas temos também tanta coisa ruim que circula na mídia, nas revistas, na casa, na TV, nas coisas do dia a dia, que, com frequência, algumas pessoas têm nostalgia da censura, ou seja, de outorgar a alguém a possibilidade de estabelecer o que pode e o que não pode ser dito, o que pode ser mostrado e o que não pode ser mostrado. Nesse sentido, vez ou outra a ideia de praticar a censura nos captura.

Não falo aí da censura como foi durante, por exemplo, o governo militar no Brasil, num período totalitário mais recente, de 1964 a 1984, que era muito mais uma censura de natureza política, com algumas variações fora desse campo; falo, sim, da intenção da censura a qualquer livre expressão do pensamento.

Nós temos que educar as novas gerações para que elas convivam com o que aí está, não impedindo que isso seja mostrado, mas orientando crianças e jovens sobre algumas coisas que não precisam ser vistas, nem lidas, nem ouvidas, e que é tolo fazê-lo, que aquilo é banal, é superficial, é marcado por uma simploriedade extrema. Censura nunca é bom.

Juvenal, poeta latino do século II, dizia que "a censura poupa o corvo e maltrata a pomba". O que isso quer dizer? Que a censura acaba largando um pouco de lado aquele que faz de fato o mal e segura firme alguém que poderia trazer uma boa mensagem, como seria a pomba.

Voltar para casa

Uma das sensações mais gostosas que podemos ter é quando, após uma ou duas semanas de férias, bate uma saudade de casa. Para quem teve e tem uma casa acolhedora, com uma família acolhedora, dá saudade do cheiro do lençol, do jeito do banheiro, do travesseiro. Passear é gostoso, entrar em férias, viajar, mas a casa da gente, quando significa um local de acolhimento, de cuidado, de proteção, é muito atraente.

Carlos Lacerda, político carioca dos anos de 1960, um dos melhores oradores que nosso país já teve, em seu livro *Cão negro*, trouxe à tona uma máxima sobre a felicidade doméstica: "A minha casa é limpa bastante para ser saudável e suja bastante para ser feliz." O que quis dizer com isso? Que uma casa que está o tempo todo absolutamente limpa é uma casa que não é usada.

Como a casa que dá a impressão de pronta para ser fotografada para uma das revistas de celebridades. A sala com todas as almofadinhas no lugar, os móveis milimetricamente arrumados – o que significa que ninguém a está usando. Isto não é convivência. A casa é um lugar onde se suja para podermos usar, brincar, sermos felizes.

O uso mancha, mas depois limpamos...

O chefe

Muita gente brinca que quem tem chefe é índio, imaginando até que as sociedades indígenas são sempre do mesmo modo, e não são. E nem a ideia de chefe está ligada estritamente a nações indígenas. Dá a impressão de que podemos até diminuir a capacidade de gestão de alguém. Por isso, o preconceito é arriscado.

Uma das coisas que no Brasil se aprecia muito, entretanto, é brincar com a ideia de chefe. Até porque aquele ou aquela que tem alguma autoridade, em alguns momentos, é desprezado, em outros é até respeitado. Essa figura está presente na universidade, na empresa, na repartição pública. E há até a expressão (muito usada também quando mal interpretamos a Coisa Pública) "eles não deixam, eles não querem" e esse "eles", quase sempre, é acompanhado com o movimento do dedo apontando para cima, como se eles ficassem sempre, como acontece, no andar de cima.

O escritor francês Paul Valéry, no seu livro *Pensamentos maus e outros*, diz: "O chefe é um homem que precisa dos outros". Olha que definição curiosa! Ou seja, é alguém que não se basta. Essa é uma frase que pode se incorporar ao nosso cotidiano de tripudiamento, se é que essa palavra pode existir, quando tripudiamos ou desqualificamos a chefia. É claro que isso não vale sempre para todos os chefes, mas que a ideia é boa, é sim.

O chefe é uma pessoa que precisa dos outros.

Consolação

Consolação, aquilo que provoca alívio, que torna as coisas mais leves, que permite que não fiquemos tão carregados com alguma coisa que nos amargure, que nos entristeça. A consolação precisa ser procurada à medida que retira de nós uma aspereza maior para viver, para pensar.

A consolação não pode ser falsa, quimérica, fantasiosa. Não é fingir, não é brincar de Poliana, para achar que tudo está do melhor jeito. Mas a consolação, em última instância, é o que atenua qualquer tipo de desgaste ou sofrimento que se possa ter.

Ambrose Pierce, em seu irônico *Dicionário do diabo*, diz que consolação é "o fato de se saber que alguém melhor do que nós está mais infeliz do que nós", isto é, alguém que é melhor em termos de capacidade, de condição econômica, de reconhecimento, está mais infeliz do que nós.

Essa ironia carrega um grande humor, mas há pessoas que ficam mais consoladas quando percebem que alguém que é muito melhor está infeliz e, nesse sentido, é alegria pela tristeza alheia.

Há uma frase antiga que diz que a "melhor coisa numa fila comprida é olhar para trás". Uma fila comprida, quando você olha para trás e ela continua comprida, consola; contudo é uma consolação claudicante e quase vingativa.

Choro

Durante muito tempo, supôs-se que o choro era algo a ser evitado, para demonstrar bravura e coragem. De maneira machista, chorar era tido como um atributo quase exclusivamente feminino. A frase antiga, ouvida na escola, na rua, na família, tinha algumas variações, porém o mesmo sentido: "homem não chora", "chorar é coisa de menina", "está chorando igual a uma menininha".

Essas ideias, felizmente, foram sendo mudadas. O machismo, ainda não extinto, vem perdendo fôlego. A noção de que o choro, como capacidade de expressar sensibilidade, não deve ser descartada. Por outro aspecto, o choro é um sinal de que algo não vai bem. O escritor William Shakespeare dizia: "O choro diminui a profundidade da dor". A situação de dor profunda faz com que haja um extravasamento quando o choro vem à tona. Os cristãos, no Evangelho de Mateus, capítulo 5, versículo 4, ao citar as bem-aventuranças, lembram de uma delas que está ligada a isso: "Bem-aventurados os que choram, porque serão consolados", isto é, o choro como possibilidade de sinalizar para as outras pessoas, para aquilo que está a nossa volta ou para nós mesmos, que alguma coisa não vai bem.

Por isso, chorar, não como algo contínuo, o tempo todo, mas, como expressão, como destampamento de algo que dói, diminui de fato a sua profundidade.

Calúnia

Calúnia, aquilo que é tão frequente nas fofocas, na empresa, na universidade, na família. Tem origem em latim, que é *calumnia*, o antepositivo para "trapaça", aquilo que faz enganar, aquilo que dribla a percepção do que seria verdadeiro.

A calúnia não é estranha ao nosso modo de viver juntos. Fala-se com muita facilidade de outras pessoas, fazendo com que a calúnia ofenda, ameace, magoe e vitime muitos.

No mundo das celebridades, caluniar, levantando uma acusação falsa, embora apareça no campo do Direito como algo a ser judicialmente recusado, tem uma certa aceitação que não deveria tê-lo.

O *Talmud*, um livro essencial da tradição judaica no qual rabinos registraram coisas importantes nos usos e costumes éticos, diz que a língua que calunia mata três ao mesmo tempo: mata aquele que profere a calúnia porque o diminui; mata aquele que acolhe a afirmação perversa, que acaba sendo conivente; e mata a vítima inocente, isto é, uma morte simbólica, que degrada, que diminui, que torna imunda a relação.

A calúnia não deve ser repudiada apenas por uma questão de boa educação, de etiqueta, mas para evitar que aquilo que, não sendo verdadeiro, seja colocado – ainda que agrade a fofoqueiros.

Caráter e casca de banana

O que se pensa quando se encontra uma casca de banana jogada numa calçada, na rua, num corredor? Ela pode ajudar demais a avaliar o caráter de pessoas. Uma casca de banana atirada é a expressão de uma negligência. Uma casca de banana, que, ao ser encontrada, é ali deixada por alguém, indica alguém que é complacente, que é negligente, que se omite em relação ao que deveria ser feito. A retirada de uma casca de banana do chão mostra alguém que é cauteloso e bem-educado.

Uma antiga máxima lembra exatamente isso: "A casca de banana: atira o negligente, deixa-a ali o complacente, a retira o cauteloso". Uma casca de banana jogada no chão ajuda a entender o caráter das pessoas. Porque aquele que joga fora é uma pessoa negligente em relação à conduta coletiva. Aquele que, ao encontrá-la, nada faz, acaba sendo omisso e põe em risco outras pessoas que poderão sofrer uma queda. E quem a retira demonstra um caráter de maior cuidado consigo e com as outras pessoas.

Portanto, casca de banana no chão, o que a leva a lá estar, se ali permanece ou dali é retirada, por incrível que pareça, é um indicador ético.

Norte x Sul

Não existe pecado ao sul do Equador? A primeira acepção de sul se remete à parte inferior. Nós utilizamos como referência o norte magnético e algumas expressões do nosso dia a dia têm essa origem. Por exemplo, quando o poder nos últimos 500 anos passou para o norte do planeta, passou-se a falar que alguém estava "norteado", ou "desnorteado" quando estava fora de caminho.

Mas, vez ou outra, é preciso, em vez de "nortear", "sulizar", criando um verbo, um neologismo, sulizar a nossa conduta, ter os olhos também para a parte inferior do planeta, lembrando que a Terra é um planeta quase redondo solto no espaço, e estabelecer a parte de cima ou a parte de baixo é mera convenção. Precisaríamos encontrar um ponto fixo no universo para que possamos fazer o nosso zênite, como se diz.

Mas a ideia de não existir pecado ao sul do Equador, lembrada em música e texto, talvez nos traga muito mais a convicção de que, por sermos um povo absolutamente mesclado, com muitas culturas que se juntaram, nós teríamos o direito, marcado de um lado pela inocência e do outro lado pela malícia. Então, não existe equívoco, não há pecado, esse é o nosso jeito de ser, é nosso modo de conduta.

Porém, pode ser gostoso cantar que "não existe pecado ao sul do Equador", mas praticá-lo, aceitá-lo, admiti-lo é dar uma elasticidade muito grande e inadequada ao nosso modo de decência.

Cautela

A frase é antiga, vale em qualquer área da vida, e muitas vezes foi proferida por nossas avós: "Cautela e caldo de galinha não fazem mal a ninguém". Mas há uma diferença entre cautela como um cuidado para não tomar uma decisão apressada, não dar o passo atropelado, não fazer com que haja precipitação, e a cautela imobilizadora, aquela em que a pessoa fica apenas como expectante, numa postura de aguardar aquilo que precisa. Fernando Pessoa, que tem vários heterônimos, um deles, Álvaro de Campos, tem um poema que nos ajuda a pensar nisso: "Na véspera de não partir nunca, ao menos não há que arrumar malas".

Algumas pessoas, para não ter o trabalho de arrumar malas, buscam nisso uma compensação, e nunca partem, isto é, ficam estacionadas e argumentam que não estão indo porque alguém impede, ou porque é difícil ou porque prefere esperar um outro momento.

Essa forma de adiamento, de procrastinação, deixar para depois algo que não pode ser postergado, é uma cautela que imobiliza e, portanto, trava, segura, ancora. Isso, em qualquer área, é um perigo.

Flexibilidade

Um mundo em mudança constante nos leva a alterar o modo de pensar, de fazer, de olhar, de observar, de praticar, de conceber. Isso nos exige a capacidade de ser flexível nas ideias, nas práticas, nas percepções, nas concepções. No entanto, há uma diferença significativa entre ser flexível e ser volúvel.

Uma pessoa flexível é capaz de alterar o modo como pensa ou realiza algo. Uma pessoa volúvel é aquela que muda por qualquer coisa, isto é, o vento bate e ela altera a maneira de fazer. Uma pessoa flexível é aquela que, tendo raízes, pode até inclinar-se em outra direção de prática ou de pensamento. A pessoa volúvel é aquela que está solta, que não tem raízes. Usando uma expressão mais antiga, ter raiz em filosofia é ser radical.

No nosso idioma é usual o termo "radical" ser usado para falar de alguém que pensa de uma forma muito irascível; mas o nome que se dá a isso é sectário, aquele que pensa que só ele pensa certo, é aquele que divide, secciona, separa a si mesmo do restante. Radical é o que tem raízes, porém é capaz de se inclinar em outra direção.

Flexibilidade é uma grande virtude, num mundo de mudança em que não devemos envelhecer as práticas e as ideias. Mas volubilidade, mudar por qualquer coisa, é um vício perigoso. Porque não conduz à segurança da ação.

Pátria

Será que o conceito e a vivência de pátria, o estudo sobre pátria estão mais ligados à geografia ou à antropologia? Será que pátria é um conceito ligado a território ou à cultura? A resposta mais imediata seria "ambas as coisas". Na escola, ao estudarmos noções sobre a pátria, em grande medida, ela estava vinculada a um território, até se diria: "nossa pátria vai até onde vão nossas fronteiras". Essa noção é muito limitadora, afinal, alguém que se considera pertencente a algum lugar, que diz "eu sou brasileiro" ou "brasileira", se refere a um território, mas, acima de tudo, ao fato de ter nascido, criado e se desenvolvido dentro de determinada cultura. Portanto, a noção de pátria vai muito além da própria ideia de território.

Um dia, talvez, não nos definamos como brasileiro, espanhol, italiano, japonês, turco, mas como um terráqueo. O dia em que nós vamos entender que vivemos no mesmo planeta, juntas e juntos, de algum modo no mesmo lugar, na mesma "casa".

Nós somos, em última instância, terráqueos, isto é, a noção mais forte de humanidade, que é aquilo que nos agrega, que nos junta.

Caetano Veloso um dia disse "minha pátria é minha língua", retomando Fernando Pessoa, a nossa cultura que é transportada pelo idioma, mas nossa pátria é nosso planeta.

Ímpeto

Ímpeto é a força relacionada à atitude, à tomada de decisão, o que impulsiona e coloca no caminho de algo, seja o momento de iniciar um curso, seja a necessidade de desenvolver alguma competência, ou até tirar alguma incompetência que se tenha no trabalho, na vida, na escola. Isso tudo exige decisão. Quando é preciso decidir, além da cautela que imobiliza, há outro perigo, que é o ímpeto inconsequente, isto é, ir sem refletir, sem meditar.

Aquela frase que diz: "Primeiro a gente enlouquece, depois vê como é que fica", "vamo que vamo, depois a gente vê como ajeita". Isso é algo que carrega um ímpeto, portanto, leva ao caminho, mas tem uma carga de inconsequência muito grande. É muito mais uma forma de voluntarismo. Uma coisa é uma pessoa voluntária, a que tem *voluntas*, vontade para fazer algo; outra coisa é o voluntarismo. Uma pessoa voluntariosa é aquela que nem sempre medita, nem sempre reflete, nem sempre matura uma ideia; parte de maneira bruta, até apressada.

E, se de um lado a cautela pode imobilizar se ela for estática, por outro lado, o ímpeto é o modo equivocado de dar um passo em qualquer área.

Contentamento coletivo

Será que estamos agradados com o modo como vivemos coletivamente? Será que estamos conformados ou felizes com a maneira como a sociedade está organizada, como nós estamos dentro dela, como temos no nosso dia a dia a possibilidade de convivência? Na medida em que para o ser humano não há exclusivamente vivência, mas apenas convivência, é bom pensar um pouco sobre isso.

Por exemplo, o Hino da Independência do Brasil tem um verso que nos chama a pensar sobre essa ideia: "Já podeis da pátria filhos ver contente a mãe gentil". Será que a mãe pátria sorri? Será que ela se alegra com a nossa condição de vida? Será que temos noção do que é fraternidade, capacidade para uma vida a todos e todas que não seja humilhante, diminuída? Será que a ideia de uma vida autônoma, de uma história independente, de uma capacidade de existência que seja bastante livre, vale de fato ou a mãe pátria nem sempre sorri? "Já podeis da pátria filhos ver contente a mãe gentil"? Penso que não, ainda não podemos ver a mãe gentil sorrindo.

Nós temos um novo caminho, temos que estudar, pesquisar, recriar, inventar, reinventar e, aí sim, um dia nessa frase do nosso Hino da Independência jamais conseguiríamos colocar um ponto de interrogação.

Autocomplacência

Uma pessoa complacente é aquela que relaxa em relação aos critérios de rigorosidade, de competência e de exigência em relação a ela mesma – nesse caso, autocomplacência – ou em relação a outras pessoas. Ser complacente é fragilizar a sustentação de uma ideia, de uma percepção, de um conhecimento. Mas há algo que é mais perigoso ainda, que é a autocomplacência. Ela tem uma gravidade do ponto de vista ético, que é a suposição de que, na conduta decente da vida coletiva, eu estou imune a essa questão.

Há pessoas que falam sobre ética pensando na outra pessoa, como se fosse algo externo a ela enquanto "eu tenho uma conduta ilibada, irreprovável, mas os outros..." Há uma frase que se diz sempre: "Que horror, alguém tem que fazer alguma coisa".

Ludwig Wittgenstein, filósofo do século XX, observava: "Nada é tão difícil quanto não se enganar a si próprio". E há muitas pessoas que enganam a si mesmas, porque é difícil não fazê-lo, fingindo ou até não tendo consciência, ficando alienadas em relação ao que precisam ter na conduta decente.

Na vida com o outro é preciso fazer aquilo que nos dê orgulho, preservando a nossa integridade ética.

Transparência

Immanuel Kant, pensador alemão do século XVIII, foi uma das cabeças mais influentes na área da Filosofia, no campo do Direito e também no estudo sobre as religiões. Kant levantou princípios que foram utilizados por algumas teologias na fundamentação das suas crenças. E ele tem uma frase que define com clareza o que é um comportamento transparente na vida em sociedade. Vale para a família, para a escola, para a universidade e para o nosso local de trabalho.

Kant dizia: "Tudo que não puder contar como fez, não faça". Isto é, se há razões para não contar o que vai fazer, essas são as mesmas razões para não fazê-lo.

Se você se envergonha de algo que fará ou quer tornar secreto aquilo (não por razões de sigilo que existe na área bancária, ou da invenção e patente, ou, até, na confissão religiosa), mas porque tem vergonha de dizer e não quer que saibam o porquê de tê-lo feito, aí tem de ser evitado.

A conduta secreta, movida pela vergonha de torná-la pública, é indício de que não deveria tê-la.

Oriente no Ocidente

No Oriente até se costuma brincar que "o Ocidente é um acidente", isto é, ele existe, no que nós chamamos de sociedade ocidental, concretamente, nos últimos 500 anos. E essa nossa sociedade quer dar a impressão de que sempre teve peso exclusivo naquilo que seria a história mais conhecida e mais dominante, hegemônica da humanidade. Ilusão!

Por volta de mil anos atrás, quando alguém estava no caminho correto, dizia-se que ele estava "orientado". Se não estava, estava "desorientado". Há 500 anos, o poder no planeta passou para o norte. Primeiro, o mundo europeu, britânico e, depois, o mundo norte-americano. Aí, como dissemos antes, passou-se a dizer que uma pessoa estava "norteada" ou "desnorteada". Claro que os tempos atuais nos orientam ou desorientam, em função até da presença da China e Índia no cenário internacional. Mas o Ocidente, que é a nossa fonte, tem imenso débito em relação ao Oriente.

As grandes navegações, o capitalismo, o avanço mercantil, de 500 anos para cá, não existiriam sem grandes contribuições do Oriente. Por exemplo, a pólvora, que os chineses inventaram e serviu para fabricação de armas de dominação (uma contribuição má, porém decisiva). O papel, uma organização chinesa que gerou a divulgação de ideias a partir do livro e do tipo móvel, com o alemão Johannes Gutenberg, no século XV. A bússola, que possibilitou viagens de longo curso e não apenas a navegação de cabotagem, ligada à beira da costa.

É preciso cautela para não termos o eurocentrismo e achar apenas que o mundo nasceu quando o Ocidente nasceu. Ao contrário, o Oriente existia antes e forte; e a ele devemos muitas coisas.

Trabalho sem fim

Tem dia que a noite fica difícil! A semana começa e já vamos imaginando quando ela vai acabar. Parte daquilo que é entendido como trabalho, em vários locais, é compreendido também como castigo. E a ideia de trabalho sem fim remete à mitologia grega clássica, o mito de Sísifo, que é condenado pelos deuses a um trabalho sem término. Ele é condenado a rolar uma pedra até o alto da montanha e, depois de um esforço imenso, infindo, ela rola montanha abaixo, e ele precisa levá-la outra vez. Repetidamente temos a sensação de ter uma vida como o trabalho de Sísifo; quando chegamos lá no alto, temos que voltar outra vez e fazer de novo.

A Filosofia tenta, em algumas situações, nos consolar sobre isso. A literatura também.

O escritor e músico francês Romain Rolland, no século XX, dizia algo que parece óbvio: "Nada está feito enquanto resta alguma coisa para fazer". E sempre nos resta alguma coisa para fazer.

No entanto, a ideia de trabalho como castigo, algo sem fim, marca muito mais uma desorientação em relação aos rumos que se deseja na vida do que algo que possa ser extinto.

O trabalho sempre será sem fim enquanto existirmos.

Opinião

A mera opinião reiteradamente se baseia apenas na achologia, "eu acho isso, eu acho aquilo". Precisamos saber distinguir o que é opinião daquilo que é um pensamento fundamentado, consolidado, provado. Claro que a opinião deve ter o seu lugar, mas ela tem um nível de individualidade muito grande: "eu penso isso, eu penso aquilo".

No mundo acadêmico não basta a achologia, até brincamos com essa ideia. Na ciência nada se constrói somente sobre opinião. Ciência se constrói sobre uma opinião que pode ser compartilhada, discutida, comprovada e validada por um grupo de pessoas, um grupo de estruturas, alguns tipos de círculos de conhecimento e, acima de tudo, por uma comunidade de saber.

Não é que se invalide a opinião, tanto que em medicina, quando não concordamos com um diagnóstico, ou queremos aprofundar mais, temos o direito de procurar uma segunda ou terceira opinião. Há uma validade nessa construção.

Por outro lado, nada funciona para a Ciência e para o Conhecimento, nem para o mundo técnico, nem para o mundo acadêmico, com base na achologia.

O "eu acho" precisa ter fundamentação, passar por uma série de critérios que fazem com que a opinião tenha sua validade, mas é uma validade limitada no conjunto de procedimentos, e este precisa ter mais densidade do que "eu acho".

Ética e família

A palavra "ética" ecoa. Fala-se demais sobre ela, mas a pratica revela algumas fraturas. É preciso ter em mente a noção de que a ética não é algo que se coloque em alguém apenas falando sobre ela. Na família, na escola, na mídia, na sociedade em geral, a ética é apreendida, não apenas aprendida, pois não é só uma questão de conhecimento. Ética se apreende muito pela forma exemplar. Se há algo que leva a uma formação absolutamente forte no campo de uma ética saudável, é quando a pessoa, seja criança ou adulto, tem a capacidade de lidar com exemplos.

Nossos pais, nossos avós, alguns num tempo mais antigo diziam: "Nesta família não se faz isso!" Ou se mostrava a recusa àquilo que é indevido. A prática da honestidade como sendo um valor exemplar. A ética não é apenas um tema para ser falado. É preciso mostrá-la, indicá-la. A ética não está relacionada apenas ao campo da política, ela está relacionada à família, à convivência, ao lugar em que moramos.

Se a ética é exemplar, a escola e a família são dois lugares prioritários em que o exercício ético por parte dos adultos e das crianças é necessário.

Ética não é cosmética, não é uma coisa de fachada que nós apenas mostramos, é preciso coerência para que isso se implante.

Mentira

Mentira é uma palavra com uma origem extremamente controversa. Os etimologistas, aqueles que estudam a origem das palavras, têm dificuldade em entender de onde vem a expressão "mentira". A maior parte deles acha que ela tem origem num antepositivo latino *men-*, de onde veio "mente", e "demente", aquele que perde a razão, de onde veio "demência" e até "mentira". Mas mentira, no sentido original, e também de imaginação ou de um pensamento inventado, significa faltar com a verdade. Pode aparecer no campo da brincadeira ou fora dela.

Quem inventou o "Dia da Mentira", de maneira irônica e extremamente lúdica, foram os franceses. Eles fazem da noção de mentira algo que se exclui da própria acepção de francês, na medida em que a palavra "franqueza" tem origem na ideia de "franco", de francês, que são aqueles que habitaram aquela região da Europa. E a porção indo-europeia de *men-*, de pensar, pode, sim, ser a noção inventiva.

Abel Hermant, pensador e escritor que participou da Academia Francesa e dela foi expulso por ter colaborado com os nazistas, tem uma frase muito boa para pensar: "A mentira mata o amor, tem-se dito, e a franqueza, então?"

Fingimento

Fingimento das ideias, fingir como pessoa, gente que finge princípios.

O jornalista francês Aurelién Scholl disse que "a fidelidade é uma forte coceira com proibição de coçar".

É muito difícil exercer a fidelidade aos princípios, às pessoas e às ideias, exercê-la na sua completude. Ser difícil não significa ser impossível. No entanto, tal qual a coceira intensa aparece quando se diz que é proibido coçar ("não vá coçar essa ferida", "não vá coçar essa parte do corpo", "não vá coçar dentro do gesso") , é quando se está imobilizado pela interdição que dá vontade de fazê-lo.

O fingimento é aquele momento em que disfarçamos e vamos coçar o que não deve e que está proibido de fazê-lo. Nós temos que lembrar a dificuldade (mas não da impossibilidade) que é ser fiel às ideias, às pessoas, aos princípios, às religiões, às normas da ciência, ao convívio na família, no casamento, na empresa.

É proibido coçar e aí é que várias vezes a dificuldade de fazê-lo vem à tona, porque queremos fazê-lo.

Ética conveniente

A conveniência é aquilo que eu faço que é bom para mim. A ética, quando é marcada pela conveniência, entra num terreno extremamente perigoso, que é o relativismo ético. Em outras palavras, tudo vale em relação àquilo que estou desejando, àquilo que estou precisando, àquilo que é o meu interesse imediato. Uma ética da conveniência é aquela do "eu faço porque este é o único meio de eu fazer. O que eu posso fazer?" E não necessariamente é assim.

A ética da conveniência aparece na cola dentro da escola. Quando um de nós colava e dizia: "Se eu não colar, não consigo tirar uma boa nota"; isso era a conveniência. Ou daquele que diz: "Para fazer uma licitação dentro do governo eu preciso colocar um preço mais alto para que depois se faça a redução"; isso é conveniência. Dentro de uma empresa, dentro da família, "olha, eu não faria, mas preciso fazer porque, do contrário, não será possível".

Essa ética da conveniência nos induz a um pensamento negativo, que é a ausência de princípios éticos sólidos, que não sejam voláteis, que não sejam volúveis, que não desapareçam ao primeiro movimento fora daquilo que deveria ser feito da maneira correta.

A ética da conveniência é extremamente utilitarista, portanto, muito perigosa. É aquela que cai no ditado popular "a ocasião faz o ladrão", em que a pessoa acredita que a ética deve ser pela sua própria conveniência e não por aquilo que se entende mais coletivamente como eticamente saudável.

Franqueza

É preciso distinguir sinceridade de franqueza. Sinceridade quer dizer que tudo que você disser será verdade. Franqueza é dizer toda ela, o que nem sempre é recomendável. Uma das maneiras da sociedade poder não conflitar, seja uma sociedade grande como um país, seja numa sociedade familiar, seja a convivência no mundo do trabalho, na universidade e na escola, é que haja sinceridade, mas a franqueza só é obrigatória em duas situações: quando a pessoa pede para que se seja franco, ou quando você tem de sê-lo por obrigação.

Por exemplo, um médico, quando vai passar ao paciente o diagnóstico e precisa alertá-lo, tem de ser franco. Um professor quando vai avaliar um trabalho, quando vai corrigir uma prova deve ser franco, isto é, tem de dizer toda a verdade de maneira que não se esconda ali o que tiver que vir à tona.

No entanto, em muitas das nossas formas de relação, a sinceridade, que é dizer a verdade, não implica obrigatoriamente de maneira toda, na medida em que a convivência tem que ser diplomática também, e nos coloca a necessidade de sermos polidos.

O que é ser franco? É agir como agiam os franceses, isto é, diretos na fala, até parecendo eventualmente bruscos. Franqueza, como sabemos, vem de francês, mas não necessariamente nos permite perder um pouco do *savoir-faire*, aquele equilíbrio entre sinceridade e franqueza.

Ira

A ira, a raiva exagerada, é entendida por uns como um dos sete pecados capitais. Vez ou outra, dizemos: "que raiva que me dá", "que raiva ter que sair para trabalhar", "que raiva desse trânsito", "que raiva de ter que fazer isso que eu não quero fazer".

A ira não chega para as pessoas do mesmo modo. Ela é uma emoção, mexe com a gente. *Emovere,* aquilo que nos movimenta. Há situações que deixam as pessoas extremamente iradas e outras, nem tanto. A Psicologia busca estudar isso. A Medicina também, até para saber se uma pessoa é mais ou menos irada frente a algumas situações, por razões que nasceram com ela, isto é, se ela tem uma tendência congênita a ser mais irada ou mais calma.

Há controvérsia em relação a essa temática, inclusive no que se refere a outros animais. Até cães e gatos que são da mesma família, um deles na ninhada sai menos espaventado, menos emocionado e o outro sai mais raivoso. A ciência ainda não sabe, com toda clareza, o que é que nos move nessa direção. O poeta norte-americano Ralph Waldo Emerson, num dos seus ensaios no século XIX, escreveu: "Fervemos a graus diferentes".

Portanto, não dá para imaginar a ira como sendo algo que venha do mesmo modo para todas as pessoas, em qualquer lugar.

Cada um é um e "fervemos a graus diferentes".

Relativismo moral

Cada vez mais, nós entendemos que é preciso aceitar as diferenças de pensamento, as diferenças de postura, isto é, valorizar, numa democracia, numa convivência cidadã saudável, o fato de as pessoas serem como são. Dizer que alguém é como é não significa que eu vá atacar o modo como ele é, apenas porque ele não é como eu. Mas também não significa que eu deva aceitar qualquer coisa de alguém.

No campo da ética e da prática moral, precisamos ter cautela com o relativismo. O que é o relativismo? "Bom, se eu tenho que respeitar o outro como ele é, então vale qualquer coisa." Não é verdade. Compreender é diferente de aceitar. No entanto, rejeitar ou não acatar, sem antes ter compreendido, é preconceito. Eu preciso compreender antes de aceitar ou rejeitar, todavia, a compreensão não significa que eu estou acatando.

No campo da ética, dos valores de conduta, da convivência social, a nossa capacidade de achar que as pessoas podem pensar de maneira diferente ou ter atos diferentes não nos obriga a considerar que, só porque é diferente, então, também é certo. Isso é relativismo moral. É necessário trazer à tona a ideia de que acatar as diferenças não implica implantar a lógica do vale qualquer coisa.

Há princípios éticos, como a decência, a honestidade, a solidariedade, que servem de referência para nós. Quem deles se desvia está saindo de um caminho que aí mesmo é que não vale qualquer coisa. Tem coisa que não vale!

Tempo como dinheiro

Essa expressão "tempo é dinheiro" é usual no dia a dia: "Ah, eu não posso perder tempo, tempo é dinheiro". Nós acabamos, inclusive, "vendendo" o nosso tempo para outra pessoa, a nossa jornada (nosso *jour*, para usar expressão francesa), ou nosso mês, aquele que é mensalista; vende-se o tempo vital para trabalhar para outra pessoa.

"Tempo é dinheiro" é uma expressão tão presente que até imaginamos que sempre existiu, mas quem a difundiu com maior força, embora ela já existisse na história ocidental, foi Benjamin Franklin.

Quem não o conhece por sua experiência mais famosa, empinando um papagaio (uma pipa ou uma pandorga, como se chama em algumas regiões do Brasil) para testar a eletricidade vinda dos raios? Benjamin Franklin morreu no dia 17 de abril de 1790; um dos atores da Independência Americana, partilhou ideais da Revolução Francesa e a esta também influenciou pois na França houvera vivido e debatido. Alguém com esse perfil, além de grande inventor, publicou um livro muito famoso nos Estados Unidos no século XVIII, chamado *Almanaque do pobre Ricardo*, que era cheio de provérbios. E uma dessas máximas era "tempo é dinheiro"!

Benjamin Franklin, que hoje estampa a nota de cem dólares, a de maior valor, talvez já antevisse a aceitação da sua fala....

Dissimulação

Há dias na semana em que saímos para encontrar outras pessoas, conviver e festejar. E algumas pessoas nos festejam com uma alegria imensa, o que nos leva até a imaginar que estão querendo alguma coisa. Afinal de contas, como dizia a música cantada por Ataulfo Alves: "Laranja madura, na beira da estrada, tá bichada, Zé, ou tem marimbondo no pé".

Nós sabemos da necessidade da parte alegre da vida, da capacidade de juntos estarmos, mas, quando há um certo exagero, colocamos o pé atrás. O carioca Mariano José Pereira da Fonseca, mais conhecido como Marquês de Maricá, foi ministro da Fazenda logo no início do nosso Império, em 1823. Grande frasista, ele nos alerta: "Quem muito nos festeja, alguma coisa de nós deseja".

Claro que não é sempre assim, há pessoas que são sinceras no festejamento quando nos encontram, e há outras que, sabemos, dissimulam.

Isso acontece em qualquer ambiente, mas serve inclusive para nossa percepção crítica, para não sermos ingênuos de imaginar que, só porque alguém é muito efusivo, nos abraça com certo exagero, está demonstrando amizade ou afetividade.

Utopia a realizar

Muitos conhecem a palavra "utopia" entendida como a projeção de uma vida, de um tempo, de um lugar, de um futuro que sejam positivos; existe também a expressão "distopia", que é a previsão de algo que não desejamos.

É curioso, porque o Brasil, em seus mais de 500 anos de história, foi chamado habitualmente de "o país do futuro". Esse é, inclusive, o título de uma obra do austríaco Stefan Zweig. Fugido do nazismo na Europa, ele veio para o Brasil com a esposa, aqui viveu até morrer. E aqui escreveu várias obras importantes, entre elas, *Brasil, o país do futuro*. Desde que foi publicada, ainda antes do final da Segunda Guerra Mundial, nós acabamos nos referindo ao nosso país como o país do futuro. Isso é para nós uma utopia, ou seja, a percepção de um tempo, uma época, um momento que será de positividade, de alegria, de fartura.

A ideia de fartura, uma sociedade em que não haveria carência alguma, no mundo medieval, era chamada de "cocanha". Aliás, em algumas regiões do Brasil, no período junino, o pau de sebo é chamado de cocanha, porque é algo em que é difícil subir, mas, quando se chega lá no alto, tem doce, dinheiro, alguma coisa boa.

E o nosso país, como ainda é uma bela utopia, precisa ser construído no dia a dia, escorregando e voltando a subir...

Egocentrismo

Egocêntrica é a pessoa centrada no próprio eu, que só consegue olhar para o mundo a partir do próprio umbigo. Não é incomum encontrar pessoas assim na família, na empresa, na universidade. Elas têm uma única referência, tomam a si mesmas como sendo a medida para todas as coisas.

Em 1931, o inglês Aldous Huxley escreveu *Admirável mundo novo*, a projeção de uma sociedade no futuro que não daria certo, portanto, uma distopia. O livro virou filme. Há outros exemplos de filmes baseados em literatura que são distopias, entre eles, *Blade Runner* e *1984*.

Mas Aldous Huxley disse: "Posso simpatizar com as tristezas dos outros, mas não com seus prazeres. Há algo de enfadonho na felicidade de qualquer outra pessoa".

Esta é uma das expressões do egocentrismo, a de sermos incapazes de simpatizar na totalidade com a felicidade alheia. Parece até meio chato, meio desagradável, quando alguém está expressando com vibração a felicidade perto de nós.

É claro, é necessário prestar atenção também a essa conduta para ela não ser uma manifestação perigosa de egocentrismo.

Fertilidade

Fertilidade da vida, dos sonhos, da esperança. Maia é a divindade da fertilidade, que dá nome ao mês de maio. É uma divindade feminina, daí a ideia de fertilidade, de dar à luz novas situações, novas vidas. Ela trouxe a noção do feminino ao nosso dia a dia. Cada vez mais se fala do eterno feminino, que é uma expressão do filósofo e poeta alemão Goethe, mas ela também é objeto de brincadeiras.

O escritor Millôr Fernandes diz: "E no final, a verdade, irmão, é que as mulheres, a cada dia que passa, mais e mais estão presas à liberação".

Esse pensamento, que hoje se diria até meio preconceituoso, foi claramente uma brincadeira dele. Aparece nos anos de 1960, quando a liberação feminina estava nascendo. Hoje, algumas coisas dos anos de 1960 e 1970 pareceriam muito óbvias, mas naquele momento era um combate muito forte por parte de mulheres, em grande maioria, e de alguns homens, para que houvesse igualdade de gênero.

A finalidade dessa luta era fazer com que, havendo igualdade entre homens e mulheres, a vida tivesse mais fertilidade, não no sentido de reprodução biológica, mas fertilidade de ideias, de percepções e de convivências.

Quando vivenciamos a noção de Maia, a deusa da fertilidade, isso ajuda a trazer o feminino como uma de nossas referências. Masculino e feminino, fertilidade junta.

Fatalidade

Quando se fala em fatalidade, entende-se como resultado daquilo que nada podemos fazer. E esse termo serve para explicar muita coisa que, em tese, pareceria quase inexplicável ou que devamos nos consolar por ela ter aparecido. A ideia de fado (o termo dá nome a um dos modos mais belos da música portuguesa) é a de destino, do que está fadado. Entre os antigos havia uma divindade que ajudava ou podia prejudicar a criança, chamada fada.

Quantas vezes se pensou na fada e no fado, ou fadado ou fatal, aquilo sobre o qual nós não temos quase controle?

Leon Eliachar, escritor de humor no Brasil, brincou de forma séria, no livro *O homem ao quadrado*, ao definir fatalidade: "Tudo aquilo que a gente só prevê depois que acontece."

Algumas pessoas até se especializam em dizer "eu não falei?" O profeta de depois da hora, aquele que anuncia após o ocorrido, é muito presente no nosso dia a dia. E embora a fatalidade possa ser utilizada como explicação para algumas situações, a maior parte daquilo que nos acontece, na prática, deveria até ser chamada de acidental, mas não obrigatoriamente de fatal, que pressupõe algo que seria inevitável.

E há uma série de coisas na nossa vida que não são inevitáveis. Trazer a fatalidade para tudo é uma má explicação.

Invisibilização

Não ser notado é uma ideia que hoje pareceria péssima numa sociedade que, em grande medida, aprecia a celebridade. Aquele ou aquela que se torna célebre momentaneamente parece um cometa, vem, brilha, deixa um rastro imenso com a cauda e desaparece. Cultiva-se a ideia de estar o tempo todo em evidência, de não ser invisível, de aparecer para outras pessoas, de desejar ser falado, ainda que essa fala seja difamante.

O escritor irlandês Oscar Wilde, em *Retrato de Dorian Gray*, que gerou filme e peça de teatro, trata do desejo da imortalidade e da juventude eternas. No livro, Wilde dizia que "só há no mundo uma coisa pior do que ser objeto de falatórios, é não sê-lo". Ele está, como autor do século XIX, dizendo isso há mais de um século e, ainda assim, essa ideia tem uma presença muito forte no nosso modo de convivência. Ser invisível, para algumas pessoas, é absolutamente horroroso. O que leva pessoas a quererem, mesmo que de maneira negativa, serem lembradas, mencionadas.

Evidentemente que o apreciável é ser bem notado, mas mesmo ser mal notado, chamar a atenção, ser exagerado, ser hiperbólico – para usar uma expressão da matemática e da filosofia – ainda assim vale a pena para certas fulanidades...

Decepção

Talvez a frase mais simbólica sobre decepção na história do Ocidente tenha sido aquela atribuída a Júlio César, quando, no dia 15 de março do ano 44 a.C., ele foi assassinado nas dependências do Senado, numa trama política, e viu entre os assassinos seu enteado, Brutus, a quem chamava de filho.

"Até tu, Brutus?" é a expressão de uma decepção. Quase como "Puxa, mas até você? De quem eu menos esperaria isso", diria não só Júlio César, mas qualquer pessoa em várias situações, "até você foi capaz de fazer isso?"

A decepção é um sentimento extremamente ruim. Quando nos decepcionamos, com alguém, com uma ideia, com uma crença, com um político ou com uma religião, isso nos entristece.

A decepção sempre é triste, não necessariamente nos marca no campo da raiva. Decepcionar-se com o aluno, com o filho, com o professor, com o chefe, é algo que nos entristece, porque quase que se diria: "eu não esperava isso", "esperava de muita gente, mas de você, não".

Por isso, o "até tu, Brutus?" é um símbolo.

Neutralidade ética

"Não quero me meter." Frase antiga, clássica, tomada até como um lema por algumas pessoas. "Não quero me meter nesta questão política", "não quero me meter nesta conversa", "isso não é comigo", "eu fico aqui na minha", "cada um que cuide do seu nariz". Isso é perigoso. A neutralidade é maliciosa. Como ela é uma impossibilidade, porque, quando alguém se coloca como neutro, evidentemente, acaba assumindo um lugar ao lado de quem vencerá; seja essa vitória positiva ou negativa.

A ausência de ação deliberada é uma forma de escolha, portanto é uma ação também. E quando lidamos com uma nação, uma democracia, que está se estruturando na nossa sociedade, devemos protegê-la. Também com relação à decência na nossa convivência em qualquer lugar, a neutralidade ética é extremamente malévola ou perigosa.

Lembremos Rui Barbosa, que tinha imensa capacidade de fazer discursos, um homem elogiado quando se fala em ética, embora ele mesmo não tenha sido isento de alguns deslizes, entre eles, o modo como tratou a documentação relativa ao período de escravização no Brasil; ainda assim, continua admirável.

Num discurso na Argentina, em 1916, disse: "Entre os que destroem a lei e os que a observam, não há neutralidade possível".

Isto é, se eu sou daqueles que observam a lei ou estou entre aqueles que a destroem, não há neutralidade neste campo.

Senso de dever

Há uma diferença entre "está na hora" e "a hora é agora". Porque "está na hora" é apenas apontar o horário em que algo tem que ser feito. Agora, "a hora é agora" indica urgência, sem adiamentos, sem escapes.

Uma das coisas mais importantes na formação de uma personalidade, de um pesquisador, de um profissional, de uma criança e de um jovem, é que ele tenha esse senso de dever e o senso de urgência. Não se pode, evidentemente, ficar fazendo apenas aquilo que é urgente, também é necessário dedicar-se ao importante. Quando cuidamos demais do urgente, o importante fica de lado.

Mas urgente não pode não ser cuidado e, em grande medida, ele marca nosso modo de atendimento também ao nosso dever.

André Gide, Prêmio Nobel de Literatura em 1947, fazia uma pergunta importante: "Se não fizeres isto, quem o fará? Se não fizeres logo, quando será?"

Parece uma frase pronta de avó e avô. Mas é preciso ter o senso de dever e o senso de urgência em relação ao que deve ser executado, a uma tarefa profissional ou escolar, ao cumprimento de um prazo. Porque, se algo tem que ser feito, temos que fazê-lo, vamos fazê-lo.

Se tem que ser feito logo, que seja logo, sem adiamento ou procrastinação.

Benevolência

Benevolente, aquele que tem vontade, e se inclina para fazer o bem ou fazer um favor. Na língua portuguesa, quando alguém nos faz um favor, dizemos "obrigado" ou "obrigada", uma expressão que é mais estranha em outros idiomas. Obrigado significa que haverá uma reciprocidade. Você me fez algo, agora estou obrigado a fazer algo por você. Nos idiomas de origem hispânica, quem agradece por algo que foi feito, diz "gracias", isto é, pela gratuidade. Mas nós, latinos em geral, ainda usamos um "Deus lhe pague", no qual transfiro até a reciprocidade da obrigação para a divindade...

Alguns antigos, de maneira um pouco forte, diziam: "se prestares um favor a alguém, será seu superior; se deles receberes um favor, será seu inferior; e se não precisares dele em nada, será seu amigo".

É uma ideia um pouco estranha de amizade, à medida que coloca o amigo como aquele que não precisa do outro, e não é verdade.

Claro que não é a necessidade exclusiva que move a relação de amizade, mas essa expressão mais antiga queria dizer que não podemos ter obrigações com outro, não podemos ter dependência, que nos leve apenas a manter relações que sejam interesseiras.

Notícia

Se tem uma frase que incide com certa frequência no nosso cotidiano é "só tem notícia ruim". Basta acessar os meios de comunicação e a notícia ruim está ali presente. Apesar de haver exageros em algumas situações, convém lembrar que a janela não é culpada pela paisagem. Em grande medida, a notícia chama a atenção, porque as pessoas gostam de ter proximidade com o que parece sair daquilo que é regular, da normalidade e, por isso, a notícia ruim acaba chamando mais atenção do que a boa notícia.

Eu gosto bastante do pensamento do dramaturgo suíço Friedrich Durrenmatt, contido na frase: "Notícias nunca derrubam o mundo, o que o derruba são os fatos, que nós não podemos modificar, pois já aconteceram quando as notícias nos chegam".

Os fatos já aconteceram e, como não podem ser modificados, algumas pessoas desejam modificar a notícia. Se a notícia é ruim ou boa, ela só está relatando algo.

Isso é diferente de confundir notícia com invenção, com boato, com inveracidade.

Entendemos a notícia como um relato daquilo que já aconteceu. Não é a notícia que derruba o mundo, é o fato que ela relata.

Paixão

É frequente que vários entendam paixão apenas ligada ao mundo do amor, do afeto, aquela exaltação de um sentimento profundo e intenso. Rotineiramente pode ser significante de uma forma exagerada de apego ou até de obsessão por algumas coisas. Mas não podemos esquecer que a expressão "paixão" tem também, no nosso idioma, mas não só nele, o sentido de sofrimento, de "aquilo que te afeta".

Quando se fala da paixão no campo da religião está-se falando da paixão como sendo aquilo que afetou. A expressão vem do grego *pathos*, e chega até a ideia de "patologia", aquilo que nos atinge de alguma maneira. No latim, *passione* está ligado ao verbo *patior* (suportar), de onde surgiu ainda "patíbulo", por exemplo, aquilo que conduz a algum sofrimento.

A expressão *paixão sofredora* é uma redundância, porque, em princípio, dentro da palavra "paixão" já está incluída a ideia de algo que pode ferir, pode machucar.

Claro que há o lado positivo, que nos afeta para nos "incendiar", produzir uma fagulha de extrema vitalidade, que, se persistir por muito tempo, fica negativo, dado que esgota a pessoa e a leva à dependência daquela emoção.

Multidão em um

William James, filósofo, psicólogo e médico norte-americano, é um dos pensadores mais importantes dentro do que se chama de pragmatismo contemporâneo na Filosofia; influenciou bastante a formação de intelectuais como, por exemplo, seu conterrâneo, o educador John Dewey, que, por sua vez, foi decisivo para algumas análises de Paulo Freire no Brasil, especialmente sobre o lugar da experiência, do saber-fazer, para a construção das ideias e conceitos.

Filósofo arguto, James sugeriu que sempre podemos nos deparar com uma multidão mesmo quando há apenas uma ou duas pessoas reunidas. Como é possível?

Disse ele que, "quando duas pessoas se encontram, há, na verdade, seis pessoas presentes; cada pessoa como vê a si mesma, cada pessoa como a outra a vê e cada pessoa como realmente é". Por isso, nesse encontro, mesmo quando não se quer sair em turma, até sozinho, conforme William James, já estamos em dois ou mais...

É uma percepção possível, e muito instigante.

Acaso ao nascer

Uma frase que muita gente já disse em discussões com os pais ou com a família é: "Eu não pedi pra nascer". Evidentemente, a própria pessoa que ouve a frase pode dizer: "Nem eu". Aí vamos recuando a pergunta até os confins das origens humanas.

De fato, não se pediu para nascer, e essa condição nos coloca um dado especial: a vida é uma gratuidade, no sentido de que ela é uma oferta em que as pessoas não fizeram a demanda em relação a isso. Evidentemente que a expressão "não pedi para nascer" quer significar, para quem a diz, que não é responsável pelas coisas que estão acontecendo ali; "afinal de contas, o que posso fazer?", fala, "a vida é assim".

O pensador espanhol do século XVII Francisco de Quevedo, na obra *Vida de Marco Bruto*, que nós ainda chamamos de Brutus (um dos assassinos de Júlio César), diz uma frase que nos ajuda bastante: "O nascer não se escolhe, e não é culpa nascer do ruim e, sim, imitá-lo".

E a culpa maior é nascer do bom e não imitá-lo. O que significa que a boa gênese, o bom nascimento, a boa possibilidade de seguir adiante é aquela que não se pediu para nascer, mas, no que nasceu naquele ambiente, naquela família, naquele grupo, é preciso afastar o que dessa genética, dessa origem, é ruim, e imitar o que é bom.

Mexerico

Mexerico é algo presente em vários ambientes, e nem o ambiente acadêmico, que, em princípio, pareceria um pouco menos vulnerável a essas questões pelo ar de seriedade que procura transmitir, está imune. Ao contrário, no mundo acadêmico, como no trabalho, na família, na educação, a convivência, em geral, o mexerico se faz presente.

Claro que há dias em que até se tira para mexericar. No fim de semana, há pessoas que se dedicam com mais intensidade a "essa arte". A palavra "mexerica", no nosso idioma, lembra uma fruta que, em algumas regiões do Brasil, é chamada de bergamota ou de tangerina. É interessante porque mexerica está ligada de certa forma à noção de mexerico, porque, dizem os antigos, aquilo que conseguia se espalhar com muita força era o cheiro da mexerica.

E, tal como aquele que faz fofoca, denuncia-se com facilidade quem consumiu mexerica por causa do aroma que exala; e as coisas acabaram se juntando. Também é preciso lembrar que a palavra "mexerico" tem uma origem no latim, em que *mix* é um antepositivo para misturar, assim como "miscelânea", "mistura".

Por isso, mexerica é um pouco aquilo que é misturado, uma vez que a própria fruta pareceria uma mescla do limão com a laranja.

Como certas pessoas que, parecendo doces na nossa presença, são mais ácidas às nossas costas...

Cantar como catarse

O cantar como catarse é um ato que purifica. Catarse é aquilo que produz depuração. Uma das coisas mais gostosas é termos pessoas que sejam capazes de iniciar um mês, um final de semana, uma época lembrando-se da possibilidade de cantar, de dançar. Temos no Brasil o Carnaval, um período extremamente marcante que nos anima. Quando o mês de fevereiro vai começando, já vamos nos animando, porque vem um tempo de recolhimento para alguns, de catarse para outros e de cantar para outros.

A frase "Quem canta seus males espanta" está registrada no livro *Dom Quixote de La Mancha*, do espanhol Miguel de Cervantes. Quem diria? Nós até supomos que seja uma frase solta aí na história, mas ela aparece em *Dom Quixote*.

Quando estamos magoados ou chateados, o cantar nos ajuda, por produzir a expressão da estética, que faz a emoção vir à tona. Há vários momentos em que é preciso trazer o canto, a alegria da música que é capaz de nos soltar daquilo que possa nos amargurar.

De fato, "quem canta seus males espanta"!

Responsabilidade

Responsabilidade é a capacidade de assumir com inteligência, com decisão, com sinceridade e, ao mesmo tempo, senso de dever, aquilo que precisa ser feito. Ser responsável é não ser pusilânime. Os latinos usavam muito a expressão "pusilanimidade". A pessoa pusilânime é aquela que é frágil, que se acovarda, que não assume o que precisa assumir e, portanto, não enfrenta o que tem de enfrentar.

Uma pessoa com responsabilidade é aquela que responde por algo. Até a palavra "responsabilidade" tem um tipo de radical que é "esponse", de onde vem "esposa" e "esposo", aquele que assume um compromisso. E dentro das palavras "responsável" e "responsabilidade" está também a ideia de assumir um compromisso, de se esposar uma decisão, de se esposar uma prática.

Responsável não é sinônimo de culpado. Há muitas situações no dia a dia em que alguém é responsável por uma situação, mas não é o culpado. A noção de culpado pressupõe – em grande medida, mas não exclusivamente – intenção. E sempre que nós temos uma situação que envolva a apuração de responsabilidade, alguém tem que responder por aquilo, isto é, não pode calar-se frente ao fato. E é muito interessante como várias pessoas não assumem a responsabilidade. Querem transferir essa responsabilidade na família, na empresa, às vezes no governo em relação a situações que são mais catastróficas no nosso dia a dia.

Ser responsável é evitar ser pusilânime, ou seja, acovardado, enfraquecido.

Compaixão

Com constância se imagina que compaixão é apenas se condoer, no sentido de ter pena. A ideia de compaixão pode ser também a de sofrer com a outra pessoa. A concepção de paixão é aquilo que te afeta, aquilo que te atinge, aquilo que te alcança.

Desse ponto de vista, compaixão é a capacidade de sofrer com a outra pessoa, não é sofrer pela outra pessoa. Por exemplo, ao encontrar uma situação em que há um desamparo, uma carência, uma dor, um sofrimento muito grande, a capacidade compassiva é não imaginar que a outra pessoa é um estranho, mas olhá-la como se fosse um outro.

Há situações na vida que movem a nossa compaixão, ao termos notícia delas, nos afetam e isso é uma coisa boa. Porque se deixarmos de ter compaixão, se deixarmos de olhar a outra pessoa que sofre como alguém com que temos conexão, isso ameaça a nossa capacidade de falar em humanidade.

Parte do humanismo, não apenas na concepção filosófica, mas na proteção da vida humana coletiva, está apoiada na percepção de compaixão.

Reitero, não é ter dó de alguém. É sentir, perceber e ser solidário com o sofrimento que a outra pessoa tem, como se fosse também contigo.

Folia

Na minha infância, era muito comum a professora ou a diretora entrar na sala de aula e falar: "Vamos parar com essa folia, vamos parar com essa bagunça!" Essa ideia de folia como folguedo, brincadeira, entrou depois no nosso dia a dia. E mais recentemente como sinônimo, por exemplo, de carnaval. Falamos em folias de carnaval, folias momescas. Interessante é conectar folia com a ideia de doidice, de loucura, o que pode ser notado inclusive em alguns idiomas. Em francês, a noção de *fou* e *folie* está ligada a ser doida, estar com a cabeça variando.

Há alguns povos que acham doidice o brasileiro interromper durante algum tempo o trabalho, o dia a dia, para poder dançar. Por exemplo, no período de carnaval muita gente não sai para dançar, sai pra descansar, para meditar. Mas é frequente alguém dizer: "É uma loucura, onde já se viu parar alguns dias para dançar?" Eu costumo sempre lembrar que doido não é quem para para dançar, é quem não para de vez em quando, isto é, quem é obcecado, quem tem a ideia da laborlatria.

Afinal de contas, precisamos ser capazes de interromper o nosso cotidiano, de criarmos um intervalo para que consigamos mais capacidade de vida, mesmo que seja com a folia, com a brincadeira, com a alegria. Com responsabilidade, isso nos ajuda, e muito.

Volto ao ponto: doido não é o povo que para de vez em quando, mas sim o povo que não para, que acha que a vida é só trabalho insano.

Desalento

Vez ou outra nos bate um desalento daquilo que não queríamos que terminasse, um certo desânimo, dá uma vontade de que as coisas continuassem. A frase clássica: "Mas, pra quê? Pra tudo se acabar na quarta-feira?" Quero lembrar que é por isso que é bom, porque acaba. Se não acabasse, se alguma coisa no nosso dia a dia, na nossa família, no nosso lazer, na nossa afetividade tivesse uma persistência contínua, não teríamos prazer em ver aquilo. Significa que, quando algo bom não está o tempo todo conosco, quando ele vem, queremos mesmo que fique.

Se esse algo bom fica por um tempo extenso, nós perdemos não só a valorização, como também o prazer de ter algo que não é contínuo.

Pode parecer uma mera reflexão filosófica, mas ela nos ajuda, sim. É bom porque acaba também e, ao acabar, há uma possibilidade que é muito gostosa, de poder voltar. Queremos que volte no outro momento e, assim, cria-se uma expectativa.

Então é "para tudo se acabar na quarta-feira?" Acabar a festa, o descanso, o retiro, o tempo de lazer, a capacidade de desenvolver algo. Sim, se acaba na quarta-feira, mas pode voltar e é exatamente essa expectativa que nos agrada. É isso que nos dá a possibilidade de antecipar o prazer.

Acabou, mas voltará! Isso anima, isso dá alento, isso afasta o desalento eventual.

Dever e autenticidade

Vamos pensar um pouco sobre aquilo que está no campo do nosso dever, aquilo que nós temos que realizar com coragem, com determinação e que, do ponto de vista ético, nos leva a fazer a nossa obrigação, como pais e mães, como gestores, como funcionários, como profissionais. Aquilo que é o nosso dever.

O irlandês George Bernard Shaw, um homem extremamente importante na história do teatro, ganhou o Nobel de Literatura em 1925. Ao receber esse prêmio, decidiu abrir mão do dinheiro, porque achava que não deveria receber a homenagem; mesmo pressionado pela esposa, doou o dinheiro e não o utilizou; o escritor também atuou fortemente na área acadêmica e é cofundador da London School of Economics, uma das melhores escolas, se não a melhor do mundo, na área de economia, fazendo par com a Universidade de Harvard.

Shaw dizia algo especial: "Quando está fazendo algo de que se envergonha, o idiota diz que está cumprindo um dever".

Há pessoas que usam a palavra dever não como algo que cumprem, por terem uma obrigação clara, consciente, deliberada, mas como se fosse uma imposição, e aí se envergonham, em vez de assumir e não fazer. Decidem que é melhor dizer que estão apenas cumprindo ordens: "Esse é o meu dever; eu, por mim, não faria, mas eu preciso fazer".

Isso é ausência de autenticidade.

Realização de desejos

O desejo não é um direito, ele é uma intenção, algo que se quer, algo que se procura. Algumas pessoas, jovens especialmente, regularmente são acometidas por uma percepção distorcida: achar que desejos são direitos. Só porque ele ou ela quer, então tem que acontecer. É ruim supor que o desejo acontecerá só porque eu tenho aquilo como algo que vou encontrar e, portanto, eu o encontrarei automaticamente. Não, o desejo exige preparo.

O filósofo espanhol José Ortega y Gasset, que chegou a viver exilado da Espanha durante o período franquista na Guerra Civil Espanhola, escreveu uma obra decisiva sobre o comportamento, chamada *Rebelião das massas*. Um livro de 1930, no qual ele registrou que "é imoral pretender que uma coisa desejada se realize magicamente, simplesmente porque a desejamos. Só é moral o desejo acompanhado da severa vontade de prover os meios de sua execução".

O que Ortega y Gasset quer dizer com isso? É imoral achar que algo vai se realizar magicamente, inclusive reclamar quando não acontece. A moralidade de um desejo existe quando conseguimos prover os meios, organizar a possibilidade, ter suficiência de instrumentos, recursos, para que algo aconteça.

Do contrário, quem tem desejo e acha que ele magicamente será concretizado, acaba não só tendo uma frustração em relação à não realização, como ainda corre o risco de atribuir a outras pessoas, ou ao destino, ou a vida aquilo que não aconteceu.

Gente inconveniente

Você conhece uma pessoa e ela se torna chata na convivência. Isso vale para qualquer pessoa que tenha a capacidade de abusar da nossa paciência. Uma das maneiras de fazer isso é querer esgotar um assunto até o final. O escritor e semiólogo italiano Umberto Eco tem um livro clássico, chamado *Uma obra aberta*. O que ele quer dizer com esse título? Que todo texto, toda literatura, toda conversa é uma obra aberta. Ela não se conclui, pois tem a possibilidade de apresentar outras janelas e outras portas.

Tem gente, no entanto, que tem um hábito inconveniente: não é capaz de mudar de assunto ou de variar na hora do lazer, da brincadeira, da convivência boa. Quer ir até o fim em relação a qualquer tema. O escritor irlandês Oscar Wilde dizia que sempre que alguém quer esgotar um assunto, esgota também a paciência do leitor.

Quem escreve ou debate precisa ser capaz de deixar perguntas e não apenas respostas. E, mais do que tudo, não insistir em algo que levaria a um fechamento, a uma conclusão, ao esgotamento. Aquilo se torna chato porque fica monótono e a monotonia nos perturba.

Uma das fontes da monotonia é tentar fechar uma conclusão como se ela fosse definitiva. É inconveniente.

Tempo encurtado

Nós estamos cada dia mais com a ideia de que temos menos dias...

Uma das frases mais comuns entre nós é: "Meu dia precisaria ter 30 horas, 40 horas, já não dá mais tempo de fazer nada". De fato, temos dias bastante apressados, que nos colocam tantas conexões, atividades, deslocamentos, afazeres acumulados, que acabamos com a sensação de que o tempo está encurtando. E há uma coisa no nosso calendário – embora calendários sejam formalizações, a ideia de ano é uma formalidade para organizar a nossa vida – quando o ano não é bissexto, e o mês de fevereiro um dia a menos, parece que o nosso tempo, que já era pequeno, ficou menor ainda.

Claro que aí há dois lados: aqueles que se alegram quando o ano não é bissexto porque vão livrar-se de algum tipo de desgaste com um dia a menos e aqueles que se chateiam porque o ano não é bissexto e fará falta o dia excedente para que ele possa viver e fazer outras coisas. A vida ficando menor dá a impressão de que ficou incompleta, de que falta algo.

Como o mês de fevereiro é o mais curto do ano, até o século I a.C., no mundo latino, ele era o último mês do ano. Fazia sentido, portanto, quando terminava mais cedo. Quando houve a modificação, ele passou a ser o segundo mês no calendário latino, deu essa ideia de que vive-se um mês como janeiro por inteiro e na sequência um mês que parece que acaba mais cedo.

E como ainda temos festividades como o Carnaval, quase sempre em fevereiro, tem-se, de outro modo, a impressão de um tempo encurtado.

Não encurta a vida, vida é intensidade e não extensidade.

Vida laboral

No final do século XIX, na Europa, já se debatia uma questão muito importante: será que o trabalhador tem direito à jornada de oito horas? A jornada de oito horas era estranha; supunha-se, inclusive, que não seria descartável, que um homem trabalhasse 14 horas, uma mulher, 12 horas, e uma criança, 10 horas, sem intervalo quase para alimentação. Nesse momento, a Igreja Católica, com o Papa Leão XIII, publica uma encíclica com o nome de *Rerum Novarum*, "sobre as coisas novas", traduzido do latim para o português, em que se discute uma coisa avançada para o século XIX: a necessidade da organização sindical, da regulamentação do trabalho para oito horas, de fazer com que as pessoas tivessem direito ao lazer e, ao mesmo tempo, a um descanso mais extenso.

Isso tudo que agora até pareceria meio óbvio, já não o foi. Claro que algumas pessoas ainda acham que há um certo exagero de direito de trabalhadores e fazem disso, até, uma de suas marcas dentro da ação política.

A democracia permite essa percepção, mas Millôr Fernandes, que gosto sempre de trazer à tona, escreveu um livro chamado *Livro Vermelho dos Pensamentos do Millôr*, uma brincadeira com *O Livro Vermelho*, de Mao Tsé-Tung, em que ele dizia algo para refletirmos: "Deus protege os fracos e os desamparados, mas um bom sindicato ajuda"...

Sucesso

Sucesso é aquilo que entendemos como algo que deu certo, seja no resultado de um trabalho, seja na carreira, seja no mundo da pesquisa, seja em relação às invenções. Agora, nem toda vitória é honrosa e nem todo sucesso é decente. Há muitas pessoas que, para atingir um patamar que considerem sucesso, fazem qualquer coisa, e há coisas que, embora possam ser feitas, não deveriam sê-lo.

Um sucesso que não seja decente, que não carregue a honra da honestidade, é um sucesso forjado. A cola na escola, por exemplo, quando um de nós resolvia copiar coisas em vez de ter estudado, a nota ali obtida, mesmo alta, não carregava mérito. Ou aquele que faz um gol de mão ou aquela que ultrapassa outras pessoas na carreira não pela competência, mas forjando situações, dissimulando amizades ou até humilhando outras pessoas.

Os cristãos têm uma frase muito forte, registrada num dos quatro evangelhos, o Evangelho de Marcos, no capítulo 8, quando Jesus teria dito: "O que ganha um homem se ele ganhar o mundo e perder a alma?" De que vale a um homem ganhar o mundo se ele perde a alma, perde sua decência, sua honradez, perde a identidade, perde a autenticidade, perde exatamente o mérito de uma vitória que poderá ter?

Nem toda vitória é honrosa.

Posteridade

Os pósteros são os que virão depois de nós, que somos os anteriores em relação às próximas gerações. Foi tradição na história da humanidade que as gerações anteriores cuidassem do mundo e da vida para que as que viessem na sequência não perecessem, isto é, não tivessem dificuldades de meios de sobrevivência. Nos últimos 30 anos, no entanto, nós estamos produzindo algo muito perigoso.

Nós não estamos dando conta de cuidar das condições para os posteriores, para as novas gerações. Estamos esgotando parte dos recursos naturais, retirando a condição de convivência, mais intensamente nas grandes cidades. Estamos diminuindo a oferta de ambiente que nos seja favorável; ao mesmo tempo, alguns valores da convivência sadia e gostosa estão sendo fraturados. Repita-se: estamos construindo algo muito perigoso. A geração adulta retira parte da condição de sobrevivência das que virão, em vez de cuidar, transmitir, ser capaz de guardar aquilo que servirá para os posteriores.

Gastamos por antecipação, fazemos um saque antecipado do futuro, como se saca o dinheiro em algum lugar. Essa é uma questão que deve ser pensada tanto pelos pósteros e por nós, os anteriores.

Temos de pensar nisso para cuidar. Posteridade é importante demais.

Hino Nacional

Eu gosto de assistir a alguns eventos, especialmente esportivos, em que hinos nacionais são tocados. Na Olimpíada, por exemplo, as letras dos hinos me chamam a atenção. Quando eu era criança e estava na educação básica me assustava – ainda hoje me assusto – com as letras de alguns hinos nacionais, que acabaram representando quase um grito de guerra com relação à afirmação da identidade nacional, da identidade territorial, da capacidade de proteção e defesa em relação a outros povos. Muitos hinos têm uma marca ligada ao enfrentamento de inimigo, o sangue que vai correr, o pescoço que vai ser degolado com o uso de uma espada, a lança que é inserida no peito do inimigo até o final.

E nós, na escola, especialmente, mas não exclusivamente, ao mostrarmos para as crianças os hinos temos de identificar neles qual a origem histórica, isto é, porque eles têm um conteúdo belicista, que em vários momentos é violento, que parece que, se nós existimos, o outro povo não pode existir.

Esse caráter agressivo de hino nacional tem que ser explicado para que não quebremos a ideia forte de fraternidade, embora o nosso diga "deitado eternamente em berço esplêndido", e isso nos pode até ajudar se o *deitado* não for por preguiça....

Desforra

A palavra "desforra", ideia de desagravo, não significa "vingança". Há várias pessoas que fazem identificação entre esses termos. A noção de desforra é quando você se liberta. "Forro", de onde vem a palavra "alforria", é aquele que está livre, portanto, desforra é quando você se liberta do que te prejudicava, do que provocou algum sofrimento. Desforra é também quando se tem o desagravamento, isto é, em que se perde a gravidade de algo que te agravava, que te atingia.

Nesse ponto de vista, a ideia de desforra não necessariamente se conecta com vingança. Aliás, nem deve. Uma desforra está mais próxima da ideia de justiça, isto é, daquilo que é justo do que realmente algo que seja um troco para prejudicar a outra pessoa.

O jornalista francês Georges Benamou, que cobriu a Revolução Espanhola, em sua obra *O caminho da Cruz das Almas*, escreveu que, "a partir de certa idade, a glória se chama desforra". Isto é, quando nós, a partir de certa idade, percebemos que estávamos certos de algo e só agora as pessoas passam a entender e reconhecer aquilo.

Portanto, esse desagravo, que de certa maneira a idade mais avançada pode trazer, dá, sim, alguma glória, algum gosto, alguma satisfação de ser daquele modo.

Persistência

Máxima latina antiga, sábia, "a gota escava a pedra". Se há algo absolutamente frágil rente a uma rocha é uma gota d'água. Não é à toa que circula o ditado "água mole em pedra dura, tanto bate até que fura". A persistência pode estar no campo positivo, isto é, a capacidade de ir adiante, de não desistir, mas também, no negativo: persistir em algo que está equivocado, persistir em algo que seja um desvio de rota.

A noção de persistência, quando colocada gota a gota, traz uma indicação muito séria da forma com que a paciência deve entrar na persistência. Paciência não é lerdeza. É a capacidade de admitir a maturação e dar o tempo necessário aos nossos processos de conceber, de fazer, seja na nossa carreira, seja no nosso trabalho, seja na família, seja no atingimento de algum objetivo.

A máxima latina "a gota escava a pedra" é uma orientação da natureza para mostrar o valor da persistência quando ela é positiva, é capaz de ajudar a chegar ao lugar a que se deseja, passo a passo.

Não de maneira lerda, não de maneira demorada, mas não desistindo, ou seja, não deixar de lado aquilo que necessita de fôlego, no estudo, na organização da vida, na certeza daquilo que se precisa conseguir.

Governos

Será que somos capazes de autogestão? Seria possível o ideal anárquico? Anarquia, não entendida como bagunça, como algo caótico, mas no sentido original da palavra "anarquia", isto é, sem um governo que em mim mande, tomando conta daquilo que precisa fazer. A ideia de governo vem ganhando força cada vez mais no campo da democracia nos últimos séculos e não é qualquer governo, mas algum governo.

Embora, vez ou outra, nos irritemos com a ideia de governo, quando se fala da competência, da tributação, da ordenação da vida coletiva, mas, ainda sim, a noção de governo, sendo marcada pela democracia, é sim um ideal extremamente forte.

O britânico Thomas Paine, um dos fundadores da nação norte-americana e também um grande influenciador da Revolução Francesa, tem uma ideia que não podemos descartar: "O governo, mesmo em seu melhor estado, não passa de um mal necessário, mas, em seu pior estado, é um mal intolerável".

O que seria um mal necessário? Aquilo que não podemos não ter, mas, se pudéssemos, cada um geriria a sua vida de maneira autônoma. Não podendo, precisamos ter um governo.

Se ele é, no pior estado, um mal intolerável, precisamos fazer com que não seja.

Oposição

Oposição não é uma noção restrita ao campo político-partidário, do poder público, ao debate no parlamento. Existe a oposição no nosso dia a dia. Quando temos uma oposição bem-feita, ela nos auxilia, porque coloca ideias que não queremos admitir e por exigir um nível de flexibilidade em nosso pensamento. Em ciência, é com a oposição, prova e contraprova, que as ideias, as teorias e, depois, as leis científicas avançam. A ausência de oposição a um pensamento, a clássica unanimidade acaba por enfraquecer o pensamento.

Afinal, quando eu não encontro algo que se oponha àquilo que penso, começo até a imaginar que a única maneira de pensar é exatamente do modo como eu estou pensando. E essa percepção do pensamento único é limitante.

O escritor e jurista britânico Benjamin Disraeli, que foi primeiro-ministro da rainha Vitória no século XIX, dizia que "nenhum governo pode ser firme por muito tempo sem uma oposição temível". Porque um adversário fraco te enfraquece, um concorrente burro te emburrece.

Afinal de contas, o que nos mantém mais animados e espertos em relação a uma concepção, a uma teoria, a uma ideia, um projeto ou um negócio, é encontrar algum tipo de oposição que nos faça ficar em estado de alerta.

A boa oposição fortalece também uma boa ideia, um bom negócio, um bom governo.

Falar bastante

Viver em voz alta, em uma sociedade em que, cada vez mais, se deseja ser notado é um dos males da vida moderna. Em algumas grandes cidades brasileiras há um verdadeiro embate entre as pessoas que querem ser notadas a qualquer custo. No trânsito, por exemplo, no transporte coletivo, ou nos seus carros, colocam o som em alto volume. Desprezam até o fone de ouvido, que seria mais adequado para sua própria fruição. Obrigam outros a ouvir aquilo que nem sempre quereriam fazê-lo e, ao mesmo tempo, falam em voz alta, e bastante.

Nossos pais e avós diziam que "em boca fechada não entra mosquito", sugerindo que a parcimônia na fala seria bastante cautelar. O filósofo genebrino Jean-Jacques Rousseau, em *Emilio*, obra de relevo pedagógico na história da Educação, no século XVIII, traz uma expressão que faria, em tese, parte da educação das crianças: "Geralmente, as pessoas que sabem pouco falam muito e as que sabem muito falam pouco".

Nós hoje queremos até que quem saiba bastante possa falar mais, repartir, dividir. Mas a modéstia, não só no tempo de fala quanto na altura, é adequada no campo de vivência coletiva.

Nem sempre falar bastante é um sinal de inteligência; há situações em que o falar bastante é muito mais a incapacidade de preencher as ideias e querer preencher o som e o espaço.

Engrandecimento

Quando dizemos: "Hoje vou encontrar uma grande pessoa", evidentemente, o uso dessa expressão não se refere ao tamanho do corpo físico. A ideia de grande pessoa é de pessoa admirável, uma pessoa que queremos seguir, aquela que gostamos de encontrar, de sair, de conversar, de passear, de estar nos momentos de lazer. Estar com grandes pessoas é algo que nos anima, que nos dá um gosto grande pela capacidade de usar o tempo em vez de perder tempo.

Grandes pessoas nos fazem ganhar tempo em vez de perdê-lo, na medida em que se aproveita ali o que deveria ser aproveitado. No entanto, uma grande pessoa jamais será aquela da qual se ausente a humildade.

Pierre de Marivaux, dramaturgo da França pré-revolucionária, no final do século XVIII, dizia que, "em geral, é preciso reerguer-se para ser grande; basta ficar como está para ser pequeno".

Uma frase a ser observada. Ser uma grande pessoa não é um estado natural que a pessoa o é, e ao mesmo tempo se conforma, se adapta àquela condição. Uma grande pessoa é alguém capaz de reerguer-se cada vez mais e continuar nesse pensamento ético, nesse crescimento afetivo, nesse crescimento de convivência. Basta ficar como está para diminuir, isto é, para ficar pequeno.

Belo conselho, belo pensamento.

Ocasião

O momento oportuno, a ideia de que tudo tem seu tempo e sua hora, em vez de ser a ocasião como "a hora é agora". Há pessoas que têm muita percepção de oportunidade, outras não. No interior, de maneira geral, o caipira diz assim: "O cavalo passou arriado" e alguns dizem até que ele "não passa arriado duas vezes", isto é, quando a ocasião se mostra, seja para falar algo, para empreender, para aprender. A percepção da oportunidade exige da pessoa uma atenção muito grande ao que está à sua volta.

François Rabelais escreveu duas obras magníficas: *Gargântua* e *Pantagruel*, que tratam do mesmo tema. E essas obras do renascentismo francês trouxeram várias ideias que depois foram consideradas heréticas. Apesar de ele ter sido um monge franciscano e depois beneditino, esses livros ficaram no índex dos livros proibidos.

Rabelais dizia algo muito forte para nós pensarmos: "A ocasião tem todos os cabelos na parte da frente. Depois que ela passa, não temos como puxá-la de volta".

Não dá para fazer a ocasião. A oportunidade passada não tem como ser pega pelos cabelos, afinal, segundo Rabelais, os cabelos dela ficam todos na parte da frente; na nuca, a ocasião é careca, não tem como grudá-la de novo.

Oportunidade, não que ela não possa voltar, mas, naquele momento em que ela foi, se foi.

Fama

Ser um fã significa falar, tanto que "infantil" é aquele que ainda não fala ou não pode falar. E a fama está marcada pela ideia de reputação, aquilo que se diz de alguém. Há pessoas que são afamadas e pessoas que são difamadas. Afamada é aquela cuja fama, aquilo que dela se diz é positivo, é o que queremos que se fale sobre nós. E existe também a difamação, a fala sobre alguém que deprecia, desqualifica.

Ser célebre aponta um caminho extremamente agradável, quando isso vem por razões positivas, quando encantamos, quando criamos, quando somos lembrados por algo que fez com que as outras pessoas acolhessem a nossa vida, nossa memória, nossa história como algo extremamente louvável.

No entanto, nem sempre a fama vem desse modo.

O pensador Paul Valéry, poeta simbolista, em 1910, na obra *Caderno B*, diz que "os grandes homens morrem duas vezes, uma vez como homens, outra vez como grandes".

Guerra

Fala-se demais que estamos vivendo uma guerra na cidade, uma guerra no ambiente, uma guerra no planeta. Todas as vezes em que se fala em guerra, questões éticas emergem: Será que existe alguma guerra que seja justa? Será que existe justiça no enfrentamento, na aniquilação de outras pessoas e de nações? Será a vitória justa quando acontece contra quem nos enfrentava?

Existe a possibilidade de critério para se imaginar a justeza de uma guerra. Talvez se dissesse que, na guerra contra o tráfico, na guerra contra a bandidagem, na guerra contra a corrupção, aí, sim, há uma justeza porque a causa é nobre. A causa enobrece a capacidade de combate, mas há algo a ser pensado sempre, que não é tão fácil de levar em conta.

O dramaturgo alemão Bertold Brecht, que fazia oposição ao nazismo, teve que sair da Alemanha para escapar da perseguição nazista. Ele dizia que "só quem pode dizer se a guerra é justa é a mãe do soldado morto". Porque a mãe do soldado morto será a única com condição – tendo ela gerado aquela vida – de dizer quando essa vida deixa de existir, se foi por uma justa causa ou a favor de uma causa que poderia enobrecer aquele ato.

Não é fácil. A ética nos coloca várias questões para reflexão, e uma delas é exatamente essa: De onde vem a justeza daquilo que é um horror, como é o caso de qualquer guerra?

Tirar a gravata

Em vários países, e também no Brasil, virou moda, nos últimos anos, algumas empresas organizarem o *casual day*. Um dia, geralmente a sexta-feira, em que os funcionários se vestem de maneira mais casual. O Ocidente adotou há bastante tempo o uso da gravata como um adorno quase obrigatório em algumas situações. Mesmo num país tropical como o nosso, o uso do paletó e da gravata acaba sendo uma forma de elegância ou quase de obrigação em relação a algumas atividades.

"Gravata" vem da expressão em francês *cravate*, que designava o soldado croata. Uma parte dos croatas, durante alguns combates nos séculos XVI e XVII, colocava-se como soldados a serviço de outros povos, entre eles a França; eram mercenários. Para se distinguirem na hora do confronto, amarravam um lenço colorido no pescoço para que pudessem ficar mais visíveis na hora dos confrontos, especialmente os cavaleiros.

Com isso, os croatas acabaram gerando um modo que se incorporou à área militar para a distinção em um campo onde se tinha muita poeira, barulho e sangue. Isso também se incorporou na batalha do dia a dia, na organização da vida.

Vinicius de Moraes nos adverte e diverte: "Detesto tudo que oprime o homem, inclusive a gravata"...

Arrogância

Arrogância é o orgulho desviado. Algumas vezes se confunde arrogância com orgulho. Uma pessoa orgulhosa, se ela é inteligentemente orgulhosa, não é arrogante. Orgulho é a satisfação de fazer algo, orgulho de alguém, de uma obra, do resultado obtido, da família que se constrói, da casa que se tem, de um sucesso. Isso é diferente de arrogância. Porque arrogância é a postura de alguém que entende que aquilo que fez ou aquilo que tem é superior a qualquer outra coisa. Sentir orgulho de ter conseguido algo é absolutamente diverso de sentir-se arrogante, isto é, arrogar-se, colocar-se numa posição superior.

Quase sempre esse orgulho desviado, essa ideia de um orgulho que ficou maximizada, torna-se um vício, que é a arrogância. Há ainda outro nome: soberba. Caracteriza a pessoa que se coloca acima, aquela que costuma dizer, em várias situações: "Você sabe com quem está falando?" Ou a que gosta de ostentar, seja o cargo, a propriedade, a autoridade. Aí, não é algo que dê orgulho. Fazendo um trocadilho meio estranho, mas verdadeiro, dá engulho.

Dá ânsia imaginar algumas pessoas que, por causa do lugar onde estão, daquilo que possuem, do estudo que conseguiram, sejam capazes de ter soberba e arrogância, em vez de usar a vida para partilhar e ficar orgulhosa daquilo que conseguiram.

Melhor pensar como os chineses, e gosto de retomar esse antigo ditado, "quando a partida de xadrez termina, o peão e o rei vão para a mesma caixinha"...

Soçobrar

Soçobrar é um dos verbos mais interessantes que usamos no nosso idioma. Não são tantos que costumam usá-lo, afinal ele está quase sempre ligado à área náutica. Diz-se que um barco soçobrou, um navio soçobrou. Essa expressão veio para nós do espanhol: *zozobrar*, que remete à ideia de movimento, embaixo e em cima. Porque, quando uma embarcação aderna, vira para lá e para cá, está soçobrando.

O escritor alagoano Lêdo Ivo – que faleceu em 2012, na cidade de Sevilha, na Espanha, aos 88 anos de idade – tem uma autobiografia que vale a pena ser lida, chamada *Confissões de um poeta*. Nesse livro, ele faz uma trova: "O que sobra é a obra, o resto soçobra". É um trocadilho inteligente.

O que restou para nós de Lêdo Ivo? A obra, a obra escrita, a obra no campo da amizade, a obra como a fraternidade que ele pôde repartir; tudo aquilo que um dia, cada amigo ou cada amiga dele conseguiu levar adiante, mesmo depois que ele, fisicamente, se foi.

Lêdo Ivo, nós podemos dizer, com certeza, não soçobrou, pois a obra fica, tanto aquela escrita quanto aquela vivida na conduta, na partilha, na existência.

Omissão

"Não, isso eu não vou fazer" ou "eu não quero saber" ou "não vou me meter nisso". Quando olhamos o campo das nossas ações, da nossa conduta, seja em qualquer atividade, no campo do ensino, da docência, da empresa, temos que olhar não só o que fazemos, mas também o que deixamos de fazer. É também importante refletir sobre as nossas omissões, aquelas escolhas que fazemos pela ausência, pela não ação, pela interrupção ou nem o início de algo que deveria ser feito, as atitudes não tomadas, aquilo que deixamos de praticar.

Padre Antônio Vieira, português que viveu no Brasil, muito tempo em Salvador, tem um sermão do século XVII, da Primeira Dominga, como se dizia na época, em que ele faz uma advertência muito séria. "Sabei todos que, se vos há de pedir estreita conta do que fizestes, mas muito mais estreita do que deixastes de fazer, pelo que fizeram, se hão de condenar muitos, pelo que não fizeram, todos."

Pode parecer apocalíptico, um pouco admoestatório, mas nos ajuda muito a pensar. Isto é, qual o campo das nossas ações e omissões?

Saudade

Costumamos dizer que "saudade" é uma palavra que só existe no nosso idioma e até enchemos o peito de orgulho ao afirmar isso e que, em outros idiomas, ela se aproxima muito da ideia de lembrança. Há várias palavras que só existem mesmo no nosso idioma; são próprias do modo do português falado no Brasil ou que vieram para nós de outros lugares e que aqui se enraizaram. Mas não é o caso de saudade. Qualquer povo tem a noção de saudade. A saudade é uma lembrança que nos faz até sorrir ou dizer: "Às vezes, eu choro de saudade".

Há uma diferença entre saudade e nostalgia. Nostalgia é uma lembrança que dói, enquanto saudade é uma lembrança que alegra. A saudade de um cheiro, a saudade de alguém, a saudade de uma música nos levam a uma grande lembrança. Já a palavra "nostalgia" é do século XIX, inventada por um médico alemão que queria dar nome a um fenômeno da medicina, em que pessoas que sofreram amputação de braço ou perna, diziam continuar sentindo dor ou coceira naquela parte do corpo que não estava mais lá. E o nome foi "nostalgia". *Nóstos*, em grego arcaico, é a ideia de volta, e *algós* é dor. Nostalgia é a dor daquilo que não volta; é a dor daquilo que não está mais.

E, nesse sentido, quando pensamos em saudade, é referente a algo que até nos alegra na memória, na lembrança. Já a nostalgia é aquilo que dói. Muita gente consegue, na vida, passar da nostalgia para a saudade quando tem alguma perda – isso é um sinal de boa mente.

Laborlatria

O que é laborlatria? *Labor*, trabalho na noção latina, e *latria* é a ideia de adoração. Há pessoas que são labórlatras, isto é, têm uma adoração exclusiva pelo trabalho. Claro que ninguém pode ser tolo para supor que o trabalho não tenha importância, mas é também evidente que o trabalho não pode ser a nossa única referência.

Olhando trabalho como se fosse – e nem sempre o é – sinônimo de emprego, labórlatras, de maneira geral, são aqueles que fazem com que toda a sua existência, todas as suas coisas girem exclusivamente em torno dessa noção. Há quem coloque até a saúde em função do trabalho. É corriqueiro para essa pessoa, ao fim de uma licença médica, quando começa a melhorar, em vez de perguntar para o médico se já está apta a voltar a conversar, a passear, a dançar, faz o seguinte questionamento: "Já posso voltar a trabalhar?" Como se a atividade profissional fosse a única referência; e não pode ser.

Nos momentos em que pensamos em nosso lazer, na nossa capacidade de convivência, o trabalho também é uma de nossas referências na vida, mas não exclusiva. Essa obsessão pelo mundo laboral, ou seja, a laborlatria, é extremamente danosa.

Trabalho é importante, mas não é único e nem exclusivo.

Destino

Quando o ano, o mês, a semana começam, muitos ficam pensando: "Ei, destino... se eu pudesse, se eu conseguisse". A ideia de destino é bastante confortável no dia a dia porque leva as pessoas a acharem que talvez não tenham tanta responsabilidade sobre aquilo que estão fazendo ou sobre aquilo que acontece. A Filosofia, a Teologia, as Ciências em geral, as Artes costumam pensar sobre a temática do destino.

Será que algumas coisas às quais estejamos submetidos e que estão fora do controle humano são fatalidades? Há pessoas que dizem exatamente isso: "O que eu posso fazer? A vida é assim", ou "Foi Deus que quis" ou "Não tem alternativa".

A ideia de uma vida na qual não há possibilidade de intervenção ou de escolha, de um lado, pode até ter um nível de veracidade para algumas pessoas, mas carrega uma noção de fatalidade que é extremamente confortável na medida em que se acredita que as coisas já estão escritas, já estão fadadas, já estão determinadas e, assim sendo, não é preciso se esforçar para mudar de rota.

Esse nível de conforto até acalma a mente daqueles que costumam atribuir tudo o que acontece às coisas que estão fora da própria pessoa. E nessa hora, a ciência costuma, junto com o pensamento filosófico, a meditar sobre se há coisas que sejam inevitáveis ou se existe a possibilidade de mudar algumas rotas, crença mais sólida de ambas atualmente.

Adiamento

Pôr-se a caminho, ou seja, iniciativa. Horácio foi um dos grandes poetas da antiga Roma, e muitas vezes incentivado pelo Ministro Caio Mecenas, do primeiro imperador de Roma, Otávio Augusto. A palavra "mecenas", nos tempos atuais, significa aquele que subsidia, que financia, que dá apoio à arte. E é exatamente desse romano da Antiguidade, Caio Mecenas, que veio essa ideia – o mecenato é quando se patrocina algo. E Horácio dizia em uma de suas epístolas algo que, hoje, pareceria óbvio, mas não é: "Quem começou tem metade da obra executada".

É preciso pôr-se a caminho, isto é, é preciso ser capaz de dar partida àquilo que vai ser feito. Álvaro de Campos, um dos heterônimos de Fernando Pessoa, quase suplicou: "Depois de amanhã, sim, só depois de amanhã... Levarei amanhã a pensar em depois de amanhã. E assim será possível, mas hoje não... Não, hoje nada; hoje não posso".

E há pessoas que não se colocam a caminho, mas ficam no mero desejo de fazê-lo.

Na época em que vivemos, em que nós temos tantas disposições, lembremos de Horácio, afinal de contas, pôr-se a caminho é decisivo para a ação.

Iniciativa

Iniciativa é a capacidade de ter audácia naquilo que se vai fazer, em vez de ficar aguardando. Uma das frases latinas que eu mais aprecio é: "A sorte segue a coragem". Há várias pessoas que acham que algumas outras têm muita sorte: "Essa é uma pessoa que tem muita sorte, tudo dá certo para ela". Como se a sorte fosse uma bênção especial, um dom que os deuses chamassem e dissessem: "Este aqui vai ser abençoado, vai ser protegido, vai dar tudo certo para ele". De maneira geral, isso não acontece.

Uma pessoa com iniciativa tem determinação, tem persistência naquilo que quer fazer. A probabilidade de ser mera sorte é pequena, quase sempre a sorte segue a coragem. Não significa obrigatoriamente que tudo dará certo, mas as chances de êxito aumentam, e aí sim, aquilo que se chama de sorte, que os latinos denominavam de "fortuna", pode acontecer. A ideia de sorte é a possibilidade de encontrar uma ocasião propícia para exercer a coragem.

A ideia de iniciativa fica em vários campos: para reinventar a capacidade de viver na família, para procurar um outro tipo de trabalho, para empreender, para dar um passo na vida que está sendo adiado.

A sorte entrará nisso se ela for atrás da coragem, é preciso energia para percorrer esse caminho, mas, acima de tudo, iniciativa.

Paciência

Em grandes cidades vamos perdendo a paciência aos poucos: no trabalho, no trânsito, nas filas. No caso da educação, da formação, há também uma grande impaciência aos tempos e modos em que as coisas precisam ser feitas. A paciência é uma virtude, não é um vício. O vício é lerdeza.

Há uma diferença significativa entre ser paciente e ser lerdo. Paciência é a capacidade de deixar maturar, de perceber, de fruir, de dar o tempo que aquilo precisa para acontecer. Por outro lado, lerdeza é a capacidade de adiar, de fazer de forma demorada aquilo que não precisaria ser daquele jeito. Uma das coisas mais difíceis do nosso tempo é ter paciência sem ser lerdo; por outro lado, não ser impaciente, perdendo aí o senso de urgência quando ele é necessário.

No nosso dia a dia, a capacidade de ter paciência está muito ligada à maturidade. Pessoas, independentemente da idade, que são mais maduras, têm a capacidade de pensar sobre si mesmas, de meditar sobre o que fazem, costumam ter um nível maior de paciência. Insisto, paciência não é lerdeza. Fazer com paciência é evitar a pressa.

E como diziam nossos avós: "A pressa é inimiga da perfeição". Além disso, ela conduz a vários equívocos, porque fazer apressadamente nos deixa atrapalhados. Paciência é maturar, pensar e fazer; não é ficar aguardando, é buscar, ir atrás, mas sabendo que há tempos em que as coisas acontecem. O tempo das coisas.

Cansaço e estresse

Quando é necessário retomar o ritmo de trabalho, quem ainda não conseguiu descansar, geralmente diz: "Estou cansado". Alguns dizem uma coisa mais forte: "Estou estressado". É preciso fazer uma diferenciação entre cansaço e estresse em relação a qualquer atividade do nosso dia a dia. O cansaço resulta de um esforço intenso. Jogar uma hora de futebol cansa, passar duas ou três horas cozinhando cansa, estudar durante algumas horas cansa. Isso é diferente de estresse. O cansaço tem origem no esforço intenso. O estresse, de maneira geral, resulta de um esforço sem sentido, isto é, quando não se entende por que se está fazendo determinada coisa.

Levantar-se cansado, em uma segunda-feira, porque ainda não deu tempo de recuperar todas as forças é muito diferente de levantar estressado. Quando estamos cansados, queremos ficar um pouquinho mais na cama, dormir mais um bocado. No estresse, a pessoa não quer dormir mais um pouco, ela não quer é levantar, não quer é sair da cama.

Quando estamos cansados, um pouquinho mais de sono, bater o dedo no despertador e deixá-lo mais um pouco na função soneca, até resolve física e psicologicamente. Agora, estresse é quando acordamos e dizemos para quem está com a gente: "Liga lá, diz que eu morri, diz que teve uma explosão na estrada, e que eu não vou conseguir chegar".

Como resolvemos a questão do cansaço? Fácil, descansando. Já o estresse demanda uma reflexão sobre o que nos está deixando infelizes naquilo que fazemos. Só se mexe com estresse mudando de rota, de objetivo.

Crítica

É bastante usual que muitas pessoas, quando vão fazer uma crítica, pedem desculpas antes de fazê-la. Dizem assim: "Você me desculpe, eu queria fazer uma crítica, mas é uma crítica positiva". É preciso lembrar que a palavra "crítica" tem origem em um termo grego ligado à agricultura, que é *criterion*. Significa separar o positivo do negativo: o feijão da pedra, o arroz da palha, o joio do trigo.

Portanto, criticar significa separar o que serve do que não serve. Fazer uma crítica sempre implicará que ela seja positiva e negativa ao mesmo tempo. O que talvez as pessoas queiram dizer é "queria fazer uma crítica construtiva". Há uma diferença entre crítica construtiva e crítica destrutiva, portanto, nós estamos lidando com a intenção da crítica. Positiva e negativa ela sempre será, porque se uma crítica não separar o que serve e o que não serve, o que eu desejo e o que eu não desejo, ela não será crítica.

Sempre que desejamos criticar algo, temos que pensar em qual é a intenção: Será uma crítica positiva ou destrutiva? Quero eu ajudar com aquele pensamento crítico ou quero apenas fazer com que a pessoa criticada se sinta diminuída, humilhada?

Criticar é separar o que serve do que não serve. Se vamos fazê-lo, não precisamos pedir desculpas.

Ausência de inimigos

A ausência de pessoas com as quais tenhamos alguma inimizade seria sinal de uma vida indiferente? Uma vida indiferente é aquela que não afeta o mundo, não afeta a si mesma, não afeta outras pessoas. Uma vida morna. Embora não gostemos, e nem devamos gostar, da expressão "inimigo", ainda que no sentido simbólico, não ter inimigos talvez seja sinal de mediocridade.

Afinal de contas, medíocre é aquele que não é quente nem frio. Medíocre não é sinônimo de tonto, é aquele que não afeta nem desafeta, que fica sempre parado no mesmo ponto sem atingir aquilo que está à sua volta e a si mesmo.

O humorista peruano Luis Felipe Angell, que apelidou a si mesmo de Sofocleto, disse uma frase que tem a ver com essa reflexão: "A mediocridade é a arte de não ter inimigos", isto é, não afetar nada nem ninguém.

Como nenhum de nós faz o tempo todo, de todos os modos, tudo o que os outros apreciem, quando eu não tenho ninguém que seja contrário ao que estou fazendo, isso talvez sinalize que o que eu faço seja morno, superficial, epidérmico, periférico, algo que não tem tanta relevância.

Ausência de inimigos pode ser mediocridade.

Memória seletiva

Tem gente que nos conta a mesma história de modo repetido, inclusive, com os mesmos detalhes. Quando o ano vai terminando, algumas pessoas resolvem recontar o que aconteceu com elas, e pela terceira, quarta, quinta vez, ouvimos a mesma história. Há algo extremamente intrigante nessa questão.

Como alguém é capaz de não lembrar que já contou aquela história para mim, mas é capaz de lembrar de todos os detalhes que aquela história contém?

No século XVII, La Rochefoucauld, que foi um grande frasista, dizia: "Por que será preciso termos bastante memória para retermos até os menores detalhes, o que nos tem acontecido, e não termos bastante para nos lembrar de quantas vezes o temos contado a uma mesma pessoa?"

Pode ser que essa distração da memória seja uma incapacidade seletiva de não fazer aquilo de novo. Isso acontece com quem escreve, com quem fala, com quem faz comentário.

É preciso prestar atenção para não ser redundante, para não se tornar também um chato.

Uso do tempo

É extremamente irritante quando algumas pessoas nos pedem: "Você poderia me indicar um livro para matar o tempo?" Quando se aproxima um fim de semana, as pessoas começam a se animar com a possibilidade de terem mais tempo para ler, para meditar, para ouvir música, para fazer aquilo que escolherem.

No nosso tempo livre, esse modo de fazer com prazer e alegria vivifica o tempo, dá vida ao tempo. A expressão "matar o tempo" indica muito mais um sinal de algum distúrbio em relação a escolhas, em relação à capacidade de encontrar o que se deseja, em procurar aquilo que engrandece em vez daquilo que diminui.

O escritor Millôr Fernandes dizia que "quem mata o tempo não é um assassino, é um suicida". Porque matar o tempo significa matar a si mesmo.

Quando se procura algo para fazer, seja ler um livro, assistir a um filme, ouvir um programa de rádio, não se está procurando matar o tempo, mas usá-lo com intensidade.

Quando bem escolhido, esse uso é bom demais.

Hierarquia e brincadeira

Muitas vezes se imagina que a existência de hierarquia veda a relação de convivência, com possibilidade de afeto ou até de leveza naquela condição. Chefiar, ser um professor ou uma professora, pai ou mãe, dificultaria, pensam alguns, a possibilidade de se dimininuir o peso que a hierarquia coloca.

Ora, existem hierarquizações negativas, que exacerbam o uso do poder e tornam-se até despóticas. No entanto, a hierarquia tem a finalidade de organizar, de dar uma ordem a uma estrutura em que se estabeleça uma linha de gestão e comando, de modo a facilitar a atividade que está sendo feita. Por exemplo, numa sala de aula há uma hierarquia.

Todavia, essa hierarquia requer um cuidado para evitar que a brincadeira estabeleça uma falsa relação de intimidade.

O escritor francês Honoré de Balzac dizia que: "Os grandes sempre erram ao brincar com seus inferiores". Claro que ele fala de grande no sentido de superior, aquele que está acima, na questão do mando.

Toda vez que o grande brinca com o inferior, o jogo pressupõe igualdade e, na relação de hierarquia, a igualdade é só de dignidade – não é uma igualdade de autoridade, nem de posição, nem de responsabilidade –, então, é preciso, sim, acautelar-se.

Mau caráter

É muito habitual o uso da expressão "mau caráter", uma pessoa que tem um caráter que seja ruim. A palavra "caráter" é aquilo que marca, de onde vem "característica", aquilo que dá um sinal. Uma pessoa mau caráter é alguém que faz coisas que nós não queremos, não aceitamos. De maneira geral, seria o que chamamos de um canalha, alguns até usam a expressão "um pulha". São termos mais antigos que não podem ser deixados de lado porque têm um sentido ainda presente.

O humorista gaúcho José Guaraci, que é chamado de Fraga, o sobrenome dele, tem um livro, do início dos anos de 1980, com um título muito interessante: *Punidos venceremos*. Foi publicado na época em que no Brasil ainda havia uma estrutura ditatorial. Nesse livro, Guaraci Fraga dizia que "é mais fácil reconhecer um mau caráter quando ele não se parece com a gente".

Evidentemente, nenhum de nós aprecia ou deseja ser tachado de mau caráter. Até quem o é, isto é, o oportunista, o aproveitador, aquele que gosta de levar vantagem o tempo todo sobre qualquer coisa, que usa o poder só para si mesmo, esse mau caráter normalmente não se considera um mau caráter.

É preciso prestar atenção nessa ideia, para que não se suponha que seja só fora de nós...

Tédio

É bastante frequente pais ouvirem de seus filhos até a faixa dos 14 anos de idade, sobretudo nos finais de semana, frases como: "Tô com tédio, não tem nada para fazer", "Isso é muito chato, não tem nada para fazer".

Eu gosto muito dessa expressão "não tem nada para fazer", porque ela sinaliza que não há nenhuma obrigação naquele momento, e não havendo obrigação, pode haver escolha de algo que se queira fazer. Isso significa que, embora o tédio seja aquela coisa chata, que exige de nós alguma decisão, também pode ser um movimento para a ação. Não tem nada para fazer? Que bom, isto é, não há obrigação.

Podemos e eventualmente até precisamos fazer alguma coisa. Alguém que no fim de semana fica pensando que não tem nada para fazer vai procurar algo. Claro que pode inventar coisas equivocadas. A frase das nossas avós continua valendo: "Uma cabeça desocupada é a oficina do demônio". Mas não é essa a questão, e sim o tédio como fagulha da ação.

O escritor alemão Goethe dizia algo que soa bem-humorado: "Se os macacos pudessem chegar a sentir tédio, poderiam vir a ser gente". Sabe por quê?

Porque teriam a possibilidade de querer fazer alguma coisa. E aí o fariam.

Mandar

Exercer a autoridade pesa. O pensador espanhol Miguel de Unamuno dizia: "Compadeça-se quem manda de quem obedece, e de si mesmo se compadeça por ter que mandar".

Parece uma contradição. Por que se compadecer de quem obedece? Porque eventualmente a autoridade exercida é algo que fere. Por outro lado, compadeça-se de si mesmo por ter que mandar, porque o uso do mando, da autoridade, do poder tem um peso – ele carrega uma responsabilidade.

Se há algo extremamente confortável é quando não temos nenhuma responsabilidade. Aquele que precisa ter uma autoridade dentro de casa, com os filhos, na empresa, em uma instituição, na escola, ao ter a responsabilidade de comandar, precisa assumir as consequências que daí virão, se o mando for correto ou não, se a obediência for dentro de um patamar de compreensão e não apenas do uso da força, se for a partir do convencimento e não do vencimento das pessoas.

O exercício da autoridade tem um peso e precisa ser sopesado, tem que ser colocado na balança, porque não é toda pessoa que consegue o exercício do mando com equilíbrio, por não saber lidar com o peso da responsabilidade.

Mandar exige saber refletir sobre as consequências do que virá a partir daquilo que se manda.

Modéstia

Modéstia é aquilo que não excede, aquilo que não exagera em relação a si mesmo. Modesto é aquele capaz de saber que, embora tenha qualidades, primeiro não as tem todas, e segundo, mesmo as tendo, não deve propagá-las em larga escala, porque o autoelogio não é algo que se deva assimilar como uma conduta inteligente.

Um elogio é bastante agradável quando somos capazes de recebê-lo por algo que fizemos, por algo que foi bem apreciado, bem avaliado. Agora, modéstia fingida é extremamente ruim. A própria palavra "modéstia" tem um prefixo que é *mod-*, que significa medida, entendida como aquilo que dá a dimensão que algo deva ter.

Nesse sentido, a modéstia tem o seu lugar, a sua medida. E falsa modéstia é uma maneira fingida de supor que não se tem uma qualidade que se deseja imensamente. Quando alguém tem uma falsa modéstia, de maneira geral, ao receber um elogio, finge que não é bem daquele jeito, obrigando até quem elogia a elogiar de novo ou insistir no elogio.

O escritor francês Jules Renard, num diário escrito no fim do século XIX, dizia que "a modéstia fica bem nos grandes homens, o que é difícil é não ser nada e ainda assim ser modesto".

Isto é, quando não temos um número grande de obras elogiadas ou de habilidades reconhecidas, a modéstia é mais difícil.

Tempos de avareza

Quando se aproxima um fim de ano, algumas pessoas recebem um dinheiro extra, a partir de salários adicionais, de alguns bônus ou até daquilo que é oficial dentro das regras trabalhistas. Várias pessoas dizem que vão usar essa quantia para pagar dívidas, contraídas durante o ano. No entanto, também é um tempo em que alguns são avarentos. O que é ser um avarento? É aquele que na história bíblica é chamado de filho pródigo.

Curiosamente, é uma expressão mal usada. Inúmeras pessoas entendem a Parábola do Filho Pródigo como o filho que passava as coisas adiante, que era generoso. Contudo, o pródigo foi aquele que dispensava coisas, desperdiçava. Pródigo porque fez o que não devia fazer, em vez de guardar, de organizar. Em vez de economizar, ele esbanjava.

Há pessoas que são avarentas especialmente com aquilo que têm e que poderia ser repartido.

Públio Siro, escritor latino do século I, dizia que "à pobreza faltam muitas coisas, mas à avareza falta tudo".

Porque avarento é aquele que quer mais e mais, e só para ele. Beira à ganância, o que é extremamente negativo.

Quando nos dedicamos aos tempos do ano em que se fala tanto de alegria e felicidade, atenção com a avareza.

Vida útil

Quando vai chegando o fim de semana, muitos se animam: "Vou fazer coisas que me alegrem", "Quero bombar nesse fim de semana", "Quero que meus dias sejam úteis".

Não basta viver, é preciso que a vida, ao ser partilhada, ao ser vivenciada, tenha, de fato, uma utilidade. Ser útil não é apenas ser prestativo, não é alguém que fica o tempo todo servindo às pessoas. É preciso, na vida útil, seguir a si mesmo servindo à própria vida.

O escritor Érico Veríssimo, em *Olhai os lírios do campo*, nos ensinou: "Felicidade é a certeza de que nossa vida não está se passando inutilmente", isto é, não está sendo superficial, banal, fútil.

Não é à toa que este livro de Érico Veríssimo remete a uma expressão atribuída a Jesus de Nazaré que, no chamado pelos cristãos de Sermão da Montanha, disse: "Olhai os lírios do campo, eles não tecem nem fiam, mas olha sua cor, o seu manto".

Não é sinal de despreocupação com a vida; ao contrário, é preocupação para, como os lírios, ser capaz de cuidar para que a vida porte beleza e recuse a frivolidade e a insignificância.

Vida corrida

No fim do século XIX, o professor de Matemática britânico Charles Dodgson, apelidou a si mesmo de Lewis Carroll e tornou-se conhecido mundialmente como autor de *Alice no País das Maravilhas*. Nessa obra, há uma personagem que se parece bastante conosco: o Coelho Branco, que está sempre atrasado. Aliás, a frase clássica dele é: "Estou com pressa, muita pressa", com o relógio na mão, andando para lá e para cá. A ideia do Coelho atrasado nos lembra a vida corrida e atarefada que levamos.

Mas é preciso saber domar o tempo. E domá-lo talvez nos remeta à outra história, bem mais antiga.

Trata-se da fábula de La Fontaine da corrida da Lebre e da Tartaruga. A Tartaruga vence, e seu segredo talvez servisse ao Coelho, de *Alice*. Ao vencer, a Tartaruga diz à Lebre: "Correr não adianta, é preciso partir a tempo".

Se soubermos o momento de partir, não será necessário correr tanto. O que levou a Lebre a ser derrotada pela Tartaruga não foi a velocidade empreendida, mas o fato de que a Tartaruga soubera partir a tempo.

Esse é um bom segredo.

Bom-senso

O filósofo francês René Descartes, no século XVII, dizia que o bom-senso é a coisa mais bem repartida que existe no mundo. Ele usa uma expressão, que em outros idiomas, inclusive no francês, significa senso comum – comum não no sentido de banal, mas como sendo de todos e de todas.

O que é o bom-senso? É a capacidade de balizar, de equilibrar as reflexões, os raciocínios. E Descartes dizia que o bom-senso, o senso comum, era o que havia de mais equânime, mais igual em todas as pessoas que o tinham.

Já o filósofo carioca Millôr Fernandes afirmava que, de maneira geral, costumamos achar que uma pessoa de bom-senso é aquela que pensa como a gente.

Para o britânico Thomas Paine, um dos fundadores da nação norte-americana, o tempo converte mais as pessoas do que a razão. Em outras palavras, a experiência de vida é muito mais impactante do que o mero raciocínio; portanto, o bom-senso não se origina apenas da capacidade inata de pensar, como quereria Descartes, mas, acima de tudo, da possibilidade de viver a experiência, de ser capaz de aprofundá-la, de vivê-la de forma mais reflexiva, para que não se tenha uma concepção de vida automática.

Bom-senso, bom demais, quando meditado.

África mestra

É um engano ou uma distração muito trivial, inclusive na escola, nos referirmos à África como se fosse um país, com uma única cultura, uma única identidade, uma única geografia, um único modo de ser. É claro que a África não é um país, é um continente, uma diversidade. Há povos absolutamente diversos, não só com idiomas, mas com culturas, pinturas, comidas, sabores.

A África carrega uma diversidade que nos encanta em relação a muitos modos como se organizou na história e nas inúmeras circunstâncias em que foi vitimada pela cobiça e pela ganância humana, um sofrimento que a história mostrou. A escritora Lígia Fagundes Telles, em seu livro *A disciplina do amor*, registrou: "Nas minhas andanças, fui parar na África e conversei com aqueles homens da Unesco – os bons, não os burocratas – e um deles me disse: 'Cada vez que morre um velho africano é uma biblioteca que se incendeia'".

Porque perdemos cultura, história, emoção, memória e, portanto, aquilo que mostra um dos modos de ser humano. E na África os modos de ser humano são muitos.

Não por ser um lugar de um único modo, mas por ser um continente com belezas, mágoas, história e desespero, que hoje busca saída.

Odisseia

Quando estamos numa viagem, especialmente num feriado prolongado, numa estrada cheia, dizemos: "Vou entrar numa odisseia", "Aquela foi uma odisseia". E a palavra "odisseia" está ligada a uma estupenda obra literária, atribuída a Homero. *Odisseia* supostamente produzida no século VIII a.C.

Duas obras são ligadas a esse conceito. A *Odisseia* de um lado e a *Ilíada* de outro. *Ilíada*, que trata do semideus grego Aquiles, é contada em versos na ida dos gregos para a guerra em Troia. E o retorno, após a vitória dos gregos sobre os troianos, também na forma de versos, é chamada *Odisseia*. Ela conta a história de Ulisses, rei de Ítaca, casado com Penélope.

E nessa história poderia se questionar: "Se é a história de Ulisses, por que não se chama Ulisseia?" Porque Ulisses é um nome romano derivado de um nome grego chamado Odisseus.

E como a história conta a volta difícil desse homem no meio do mar, com tempestades, em que ele encontra sereias, ciclopes, monstros, feiticeiras, essa viagem cheia de atribulações, criou um livro cujo título é *Odisseia*, por causa do Ulisses, que deu essa ideia de que toda viagem difícil, complicada, transforma-se numa grande odisseia, como a vida humana.

Mas, como em Ulisses, espera-se que dê certo.

Elogio e desaprovação

O elogio é aquilo que faz com que uma obra, um pensamento, uma comida, uma prática possam ser admirados. E isso é dito às pessoas para que elas possam ter prazer em ter desenvolvido aquilo que foi feito.

Mas um elogio só pode ser autêntico quando o autor também tem liberdade para desaprovar o foco. Ou seja, não é alguém que marca sua conduta pela bajulação, pelo elogio fácil, que, em última instância, não exerce uma visão crítica sobre aquilo.

Todos nós, um dia, ouvimos alguma parte da ópera de Rossini, *Barbeiro de Sevilha*, especialmente a criada para a personagem Fígaro – quem já não cantou até no banheiro, "Fígaro, Fígaro, Fígaroooo"?

Entretanto, o autor do texto original, não da ópera, é o escritor francês Pierre Beaumarchais. Ao produzir esta peça *Fígaro*, ele utilizou uma expressão que tem a ver com essa reflexão: "Sem a liberdade de desaprovar, não há elogio lisonjeiro".

Porque, para que o elogio possa ter autenticidade, é preciso, quando necessário, admitir também a desaprovação.

Dificuldade de percepção

Há muitos momentos nos quais não conseguimos perceber as coisas com tanta nitidez e, até, de uma maneira mais direta, achamos que aquilo que deveria acontecer está além da nossa capacidade, e isso porque a nossa percepção está equivocada. A percepção não é apenas uma impressão imediata, não é apenas algo que eu olho, medito, penso e aí me contente com a superficialidade. A percepção não pode ser rasa. É claro que essa dificuldade conduz a algumas encrencas até no nosso modo de imaginar a possibilidade de ser mais feliz, de ter mais vibração em tudo aquilo que fazemos.

Por exemplo, podemos pensar com Montesquieu, um político e pensador francês, autor da clássica obra *O espírito das leis*, que desde o século XVIII nos serve como referência para se falar em separação de poderes, naquilo que John Locke, no qual ele se inspirou, houvera antes construído quando se fala hoje de autonomia dos poderes Executivo, Legislativo e Judiciário.

Montesquieu tinha cadernos em que fazia anotações, e num deles ele escreveu: "Se a gente quisesse ser apenas feliz, isso não seria difícil, mas a gente quer ficar mais feliz do que os outros; e isso é quase sempre difícil, porque nós achamos que os outros são mais felizes do que são".

E essa percepção, que pode estar desviada, dificulta em nós a possibilidade de uma felicidade, de uma vibração mais intensa.

Fartura

Ficamos cheios de preparativos quando há festividades para nossa possibilidade de uma mesa farta. Há uma confusão aí. Um conhecimento farto, uma capacidade farta, uma mesa farta, uma casa farta não é aquela que tem excessos, é aquela em que há uma situação de partilha, aquela na qual, seja a casa, seja a mesa, possa ser partilhada, isto é, auxiliar a gerar mais conforto, mais vida, mais alegria.

Muitos acham que uma mesa abundante é aquela cheia de pratos numa festividade. Ao contrário, uma mesa abundante é aquela em que há pessoas com as quais se possa repartir aquilo que ali está. Há muitas mesas, por exemplo, em algumas comemorações, alguns jantares, algumas ceias que estarão cheias de coisas e sem nenhum afeto de ninguém que esteja convivendo ali, sem que haja um desejo, de fato, de estar junto.

A fartura não se remete exclusivamente a um excesso de coisas, mas a presença de situações de simpatia, de convivência partilhada, de um modo de estar junto, que signifique abundância de afeto, de prazer, de amorosidade. Podem parecer palavras piegas, mas não tem importância.

O que vale é que não retenhamos a ideia de fartura apenas no excesso material. Fartura de afeto, isso sim.

Importância da fraternidade

Em muitas situações, nota-se uma banalização da ideia de fraternidade. É muito usual ouvir dizer "e aí meu irmão", "e aí mano" ou "e aí, bro?" Essa ideia de bro, mano, mermão tem um conteúdo esvaziado, marcado pela vacuidade.

A ideia de fraternidade, de "frater", é aquele que é acolhido e vivido como um humano como eu, e do qual nós somos parceiros de existência, parceiros de vida, parceiros de tempo. O exercício da fraternidade é difícil, numa sociedade, numa vida, num tempo em que há presença da violência, da ameaça, da vitimação, do latrocínio, da guerra, do assassinato, do homicídio. Nessas circunstâncias, é difícil pensar nessa perspectiva de fraternidade como horizonte – mas não é impossível.

Essa ideia de que "somos todos irmãos e irmãs" carrega o sentido de que somos seres que vivemos dentro de um mesmo mistério da vida, de um mesmo tempo diante de uma mesma possibilidade de existência. É preciso lamentar que a ideia de fraternidade seja entendida por alguns como um romantismo perdido ou até com uma perda de tempo.

É preciso insistir: fraternidade é, sim, decisiva para não perdermos humanidade.

Exagero

Há períodos em que somos marcados por um arrependimento atroz de ter exagerado: no alimento, na comemoração, na bebida alcoólica. O corpo dá os seus sinais desse exagero. A clássica dor de cabeça ou a sensação de ressaca – e a ressaca pode ser de alimento, bebida e até ressaca moral, quando se marca ali um arrependimento. Quando o exagero vem à tona, ficamos pensando por que fizemos aquilo, por que não paramos quando sabíamos que se podia fazê-lo.

Essa capacidade humana é muito boa, porque nos permite fazer uma autocrítica, uma avaliação daquilo que se fez.

Há uma frase de que eu gosto demais: "A mesa mata mais gente do que a guerra". O autor é Joseph de Maistre, um monarquista, até durante a Revolução Francesa, criador de outra frase muito conhecida: "Cada povo tem o governo que merece".

Há momentos em que começamos a pensar nos perigos que a mesa pode trazer.

Na hora da vivência é bom demais, depois, é um certo exagero.

Sonho

Não quero me referir aqui do sonho onírico, aquele que vem quando estamos dormindo, e que cumpre uma função biológica e psicológica demasiadamente importantes para o nosso bem-estar. Falo eu de sonho como sendo o nosso desejo, o que queremos realizar, construir. Como Martin Luther King, ao falar de uma sociedade sem diferenças. Ou Mahatma Gandhi, ao lutar pela independência da Índia e expressar o sonho de, sem violência alguma, haver um povo que tivesse autodeterminação.

Quando dizemos "eu sonho ter uma casa" ou "eu sonho que meus filhos se formem" ou "eu sonho ter um casamento que perdure bastante tempo", o sonho é aquilo que nos impulsiona. É um desejo que, colocando no futuro, procuramos buscar.

Isso nada tem a ver com delírio. Delírio é um desejo que não tem factibilidade, que não tem como se realizar. Sonho precisa ser factível, realizável.

Por exemplo, não basta eu dizer: "Sonho ser o maior jogador de futebol da Fifa em 2016". Isso não é sonho, é delírio. Eu não tenho mais idade, não teria como entrar no circuito do futebol. "E se eu rezar muito?" Lamento, não vai acontecer. "E se eu ler muitos livros de autoajuda?" Também não vai adiantar.

Sonho não é delírio, é o desejo com factibilidade, que pode ser realizado. Delírio é um desejo marcado pela incapacidade de realização.

Obsessão pela máquina

O final do século XX e o começo do século XXI geraram em nós uma grande obsessão pelas máquinas. Passamos a ter à nossa volta uma dependência extrema e contínua de tudo aquilo que é automático.

Outro dia, eu vi algo que até me espantei. Era um desses lixinhos que ficam sobre a pia, para colocar pequenos dejetos, que tinha pilha. Quando a mão se aproximava, a tampa se levantava automaticamente e, após o descarte, ela fechava. Em breve, não teremos nem o trabalho de abrir uma tampinha de lixeira sobre a pia. E podemos nos acostumar com isso.

Curiosamente, o escritor brasileiro Paulo Bonfim, em 1926, num livro chamado *Colecionador de minutos*, escreveu algo que parece ser atual: "Se conseguirmos apenas usar a máquina em lugar de amar a máquina, estaremos eliminando o maior perigo do nosso século". E ele escreveu isso, ao falar "nosso século", antes da terceira década do século XX. Portanto, um alerta que nos serve para hoje.

É preciso, sim, saber usar a máquina, em vez de amar a máquina, porque isso significa criar com ela uma relação de dependência extremada, de obsessão, de perigo.

Finitude

Mario Quintana, poeta que nos legou uma série de pensamentos bem-humorados, densos, carinhosos, tem uma pequena trova que eu sempre gosto de trazer à tona. "Um dia, pronto, me acabo. Seja o que tem de ser. Morrer, o que me importa? O diabo é deixar de viver."

E há pessoas que acabam tendo a sua finitude ainda em vida, isto é, deixam de viver. E o deixar de viver não é aproveitar a vida no sentido da luxúria, do gasto, do consumo exagerado. Mas deixar de viver é não repartir afeto, amizade, competência, dedicação, tudo aquilo que nos dá força vital.

Nesse sentido, morrer é ser esquecido. No grego arcaico, o verbo para morrer e esquecer tinha certa proximidade, o que é letal, mortal.

Morrer é ser esquecido. Enquanto alguém lembrar de nós, enquanto alguém, mesmo depois que nos formos, levantar uma taça, buscar uma recordação, der um sorriso por algo que se lembrou, derramar uma lágrima, visitar um lugar onde já estivemos, trouxer uma lembrança, nós não ficaremos esquecidos.

Nossa finitude só existe se nos esquecerem.

Boas expectativas

Há épocas em que começamos a fechar ciclos e, ao fazê-lo, supomos que um novo tempo virá. E que esse novo tempo será melhor. Se há uma coisa boa para a história humana é ter expectativas positivas, aquilo que eu expecto, aquilo que eu aguardo que venha, e aquilo que virá, é claro, se eu for buscar. A expectativa positiva nos agrada imensamente e quase sempre é marcada pela ideia de esperança.

Nesse período, seja final do dia, da semana, do ano, sempre nos ajuda pensar no que pode de fato vir a ser melhor. Essa maneira humana de desejar, ir buscar aquilo que seja melhor, nos inspira, nos dá alento e nos retira um certo desânimo.

Quando uma época vai terminando e vemos muita coisa ruim, encontramos algumas pessoas das quais não gostamos, ou que praticaram atos contra a dignidade humana, que tiveram condutas eticamente reprováveis, ficamos meio desalentados.

Nessa hora, vale lembrar do escritor espanhol Miguel de Cervantes, na segunda parte de *Dom Quixote*, em que escreveu: "Deus atura os maus, mas não para sempre".

Essa ideia, mais do que religiosa, é uma expressão ética. A possibilidade de se ter a maldade sempre como vencedora, precisa ser entendida como descartável, como algo que colocamos fora.

Boas expectativas; afinal, um novo tempo precisa, sim, ser feito, e pode ser feito.

Conecte-se conosco:

facebook.com/editoravozes

@editoravozes

@editora_vozes

youtube.com/editoravozes

+55 24 2233-9033

www.vozes.com.br

Conheça nossas lojas:

www.livrariavozes.com.br

Belo Horizonte – Brasília – Campinas – Cuiabá – Curitiba
Fortaleza – Juiz de Fora – Petrópolis – Recife – São Paulo

EDITORA VOZES LTDA.
Rua Frei Luís, 100 – Centro – Cep 25689-900 – Petrópolis, RJ
Tel.: (24) 2233-9000 – E-mail: vendas@vozes.com.br